Le syndrome d'Asperger et la sexualité

De la puberté à l'âge adulte

Le syndrome d'Asperger et la sexualité

De la puberté à l'âge adulte

Isabelle Hénault, Ph. D.
sexologue, psychologue

Le syndrome d'Asperger et la sexualité :
de la puberté à l'âge adulte

Traduction de : *Asperger's Syndrome and Sexuality: From Adolescence through Adulthood* de Isabelle Hénault

Éditrice : Lise Tremblay
Coordination : Monique Pratte
Révision linguistique : Claire St-Onge
Correction d'épreuves : Sabine Cerboni
Conception graphique et infographie : Fenêtre sur cour
Couverture : Michel Bérard
Photo de la couverture : Amélie Bolduc-Monette

Catalogage avant publication
de Bibliothèque et Archives Canada

Hénault, Isabelle

Le syndrome d'Asperger et la sexualité : de la puberté à l'âge adulte

Traduction de: Asperger's syndrome and sexuality.

Comprend des réf. bibliogr.

ISBN 2-7650-0935-X

1. Asperger, Syndrome d' - Patients - Sexualité. 2. Asperger, Syndrome d' - Aspect psychologique. 3. Éducation sexuelle. I. Titre.

RC553.A88H4614 2005 616.85'88 C2005-941446-4

Chenelière Éducation

5800, rue Saint-Denis, bureau 900
Montréal (Québec) H2S 3L5 Canada
Téléphone : 514 273-1066
Télécopieur : 514 276-0324 ou 1 888 460-3834
info@cheneliere.ca

ISBN 2-7650-0935-X

Dépôt légal : 1er trimestre 2006
Bibliothèque nationale du Québec
Bibliothèque nationale du Canada

Imprimé au Canada

3 4 5 6 7 ITM 16 15 14 13 12

Nous reconnaissons l'aide financière du gouvernement du Canada par l'entremise du Fonds du livre du Canada (FLC) pour nos activités d'édition.

Chenelière Éducation remercie le gouvernement du Québec de l'aide financière qu'il lui a accordée pour l'édition de cet ouvrage par l'intermédiaire du Programme de crédit d'impôt pour l'édition de livres (SODEC).

Table des matières

Préface V

Introduction VII

Chapitre 1 Le développement sexuel 1

Le syndrome d'Asperger 1

Notions de sexualité 5

La puberté 5

L'influence sociale 14

Les comportements sexuels 17

Chapitre 2 Les comportements sexuels inappropriés: compréhension et intervention 27

Les facteurs précipitants et de maintien 27

Les comportements sexuels inappropriés 41

Le champ d'intérêt spécifique et l'obsession sexuelle 44

Le comportement masturbatoire inapproprié 48

L'agression sexuelle et les actes criminels 49

La délinquance sexuelle en collaboration avec Patrick Papazian 52

Chapitre 3 Les habiletés sociales 57

Les habiletés sociales 59

Chapitre 4 Le profil sexuel des adultes: l'importance du soutien et de l'intervention 71

L'expérimentation 72

Les résultats 72

L'interprétation des résultats 78

L'importance du soutien et de l'intervention 81

Chapitre 5 **La diversité sexuelle et l'identité de genre** 83
La diversité sexuelle 83
L'orientation sexuelle 87
L'identité de genre 91

Chapitre 6 **Le couple, l'intimité et la sexualité** 101
L'intimité 101
Le désir sexuel 102
La communication affective 104
La dynamique de couple 106
L'empathie 108
L'intimité sexuelle 109

Chapitre 7 **Le programme d'éducation sociosexuelle** 115
Les programmes d'éducation sexuelle 115
L'évaluation du programme et les résultats 117
Les contributions du programme d'éducation sociosexuelle adapté aux individus Asperger 118
Les activités du programme d'éducation sociosexuelle adapté aux individus Asperger 120

Annexe : Programme de développement d'habiletés sociosexuelles 121
Bibliographie 195

Préface

Les personnes atteintes du syndrome d'Asperger ont les mêmes champs d'intérêt, les mêmes orientations et les mêmes problèmes sexuels que la majorité des gens. Toutefois, les adolescents et les adultes qui sont affligés de ce trouble éprouvent des difficultés à « lire » et à comprendre les intentions et les émotions fines et complexes des autres, ainsi qu'à communiquer efficacement leurs pensées et leurs sentiments intimes. Ils ont également des difficultés sur le plan de la perception sensorielle, des relations interpersonnelles et de la compréhension des conventions sociales. Ces troubles du comportement ont sans contredit des répercussions importantes sur leur développement sexuel. Nous comprenons de mieux en mieux le syndrome d'Asperger et améliorons sans cesse nos compétences dans ce domaine. En outre, nous possédons de vastes connaissances et une grande expertise en ce qui a trait à la sexualité en général. L'étape suivante consistait donc à publier un ouvrage qui réunirait ces deux types de savoir et d'expériences cliniques afin de nous permettre de mieux comprendre la sexualité des personnes atteintes du syndrome d'Asperger. C'est ce qu'a fait Isabelle Hénault en écrivant ce livre de référence dans lequel elle propose des programmes d'éducation sexuelle et d'intervention.

L'auteure s'attarde d'abord sur les changements physiologiques et psychologiques associés à la puberté, au développement des relations intimes et au niveau de désir sexuel des adolescents et des adultes affectés du syndrome d'Asperger. Ces personnes sont capables d'acquérir des connaissances et de les mémoriser. Ce n'est toutefois pas suffisant, car le domaine de la sexualité ne se limite pas à une série de données factuelles. Il y est également question de problèmes liés à l'autoperception, à l'estime de soi, aux attitudes et aux préjudices, aux expériences antérieures, à l'empathie et aux relations intimes. Isabelle Hénault marie sa grande expérience et sa connaissance intuitive du syndrome d'Asperger à la sexualité dans son ensemble pour concevoir un programme d'éducation sexuelle efficace destiné à améliorer la qualité de vie et les relations des personnes Asperger, et de celles qui vivent intimement avec elles. Le programme qu'elle a élaboré et mis en pratique ne s'adresse pas uniquement aux psychologues et aux éducateurs. Les parents, les amis et les conjoints des personnes qui présentent ce trouble trouveront également dans cet ouvrage des renseignements et des stratégies fort utiles.

Les personnes atteintes du syndrome d'Asperger qui liront ce livre auront une meilleure compréhension de leur propre sexualité et apprendront comment amorcer et préserver une relation intime. Il est essentiel que, dans leur démarche visant à mieux comprendre leur sexualité, les personnes (et particulièrement celles atteintes du syndrome d'Asperger) aient accès à de l'information juste et pertinente. Un adolescent Asperger peut s'imaginer que ses pairs sont très à l'aise avec leur sexualité uniquement parce qu'ils en discutent ouvertement et fréquemment. Ils sont perçus comme des experts en la matière. Malheureusement, ces personnes ne sont pas toujours fiables, et certaines d'entre elles peuvent prendre un malin plaisir à duper un adolescent naïf et crédule. Ce livre devient alors une source de renseignements exacts et rassurants ainsi qu'un guide de conseils pratiques. Si vous êtes atteint du syndrome d'Asperger ou si vous prenez soin d'une personne Asperger, *Le syndrome d'Asperger et la sexualité* vous servira de bible plus d'une fois. Faites cependant attention si vous le prêtez, car vous risquez d'avoir de la difficulté à le récupérer !

Tony Attwood

Introduction

L'idée d'écrire un livre sur la sexualité des personnes affectées du syndrome d'Asperger m'est venue au cours de mes études de doctorat qui m'ont mise en contact avec cette réalité. Après avoir consulté plusieurs écrits scientifiques, résumés d'articles et chapitres de livres, j'ai découvert à ma grande surprise que seulement huit sources traitaient de la sexualité des personnes autistes. Qu'est-ce qui pouvait bien expliquer une telle pénurie d'écrits? Les préjugés et les tabous n'étaient manifestement pas étrangers à cette situation. Comment peut-on ignorer un sujet aussi universel que la sexualité lorsqu'il s'agit des individus atteints du syndrome d'Asperger? Il est vrai que le syndrome d'Asperger a été reconnu tardivement par les nomenclatures internationales, mais ne s'est-il pas écoulé une dizaine d'années déjà depuis cette reconnaissance? De plus, jusqu'ici les recherches et les écrits sur cet état ont porté davantage sur les causes (génétiques, environnementales, chimiques, etc.) que sur l'intervention éducative ou la réadaptation. Or, en dépit des résistances superficielles qui accompagnent l'exploration de la sexualité, les individus font preuve d'une ouverture d'esprit et d'une grande curiosité à l'égard de ce sujet.

Les individus affectés du syndrome d'Asperger démontrent un intérêt et des besoins sexuels comparables à ceux de la population en général, mais l'expression de leur sexualité est particulière. Les difficultés de communication qu'ils éprouvent s'ajoutent aux obstacles rencontrés dans l'établissement des relations interpersonnelles et sexuelles. Le présent ouvrage se propose de reconnaître et d'explorer les enjeux liés aux besoins des individus Asperger et de présenter les interventions nécessaires à leur bien-être de même qu'à leur santé et leur éducation sexuelles. Il a pour objectif d'offrir un maximum d'information sur le développement, les comportements et les relations intimes, en plus de fournir une éducation sexuelle adaptée aux adolescents et aux adultes.

Le livre se divise en trois parties. La première correspond au chapitre 1 et porte sur les caractéristiques du syndrome d'Asperger, la puberté, les changements liés à la physiologie, l'exploration des comportements sexuels et l'estime de soi. La deuxième partie regroupe cinq chapitres. Le chapitre 2 explore les comportements sexuels problématiques et les facteurs de déclenchement ou de maintien des conduites inadéquates. Le chapitre 3 s'intéresse aux notions d'intimité et de communication en lien avec l'expression des émotions. Comme ces phénomènes sont au cœur des relations interpersonnelles, une incursion détaillée permettra de comprendre les défis et les règles de communication propres à ces personnes. Le chapitre 4 traite de l'identité et des préférences sexuelles. La science s'intéresse en effet de plus en plus aux liens possibles entre la notion d'identité de genre et le syndrome d'Asperger. Des exemples cliniques et des réflexions personnelles d'adultes Asperger permettent d'aborder les différents rôles sexuels, le travestisme et le transsexualisme. Le chapitre 5 dresse un profil sexuel des adultes Asperger. Une recherche conjointe avec le Dr Tony Attwood a permis de comparer ce profil à celui de la population en général ; elle sera rapportée. Onze facteurs de la conduite sexuelle sont identifiés et explorés (les connaissances, le désir sexuel, l'image de soi, le répertoire des comportements connus, etc.) ; leur examen permettra de mieux cerner la réalité des adultes Asperger. Le chapitre 6 traite des couples, de l'engagement, des besoins et des attentes des partenaires ainsi que de la thérapie de couple. La troisième partie est consacrée au programme d'éducation sociosexuelle. Les activités pratiques et les outils prennent la forme de 12 ateliers portant chacun sur un thème particulier. Chaque séance débute par des notes et des instructions détaillées sur le déroulement et la préparation de l'atelier. Des activités et des fiches pratiques sont ensuite présentées. Enfin, une liste de ressources et de matériel didactique complète cet ouvrage.

Remerciements

Je souhaite d'abord exprimer toute ma reconnaissance au Dr Tony Attwood pour son inspiration et sa générosité. Il m'a permis de réaliser mes plus grands rêves.

Un merci tout spécial à Julie Larouche pour son professionnalisme et son amitié qui m'est si chère.

Merci à Jessica Kingsley pour sa confiance et sa patience tout au long de ce projet.

Je désire aussi témoigner ma gratitude envers mes parents, Jean et Jeanne ainsi que ma sœur Geneviève qui m'ont appuyée et encouragée à poursuivre ma voie. Jamais ils n'ont cessé de croire que tout était possible.

Un merci tout spécial à Charles, mon amoureux. Son implication a été extraordinaire et combien motivante ! Ses commentaires et son humour m'ont permis d'aller jusqu'au bout, une journée à la fois !

Un grand merci à Georges, Marc-Antoine, Stef, Martine, Ron et toutes les personnes affectées du syndrome d'Asperger qui ont accepté d'aborder un sujet aussi personnel et délicat avec sincérité et ouverture d'esprit.

Mes remerciements à Lise Durocher et Martine Fortier pour les activités provenant de leur programme d'éducation sexuelle, à Patrick Papazian pour sa collaboration et ses idées et à Amélie Bolduc-Monette pour son œil de photographe !

Enfin, toute ma gratitude au Dr Normand Giroux qui m'a initiée au domaine et qui me guide sans relâche depuis maintenant six ans. Je lui dédie ce livre.

Isabelle Hénault

Chapitre 1

Le développement sexuel

Le syndrome d'Asperger

Les personnes affectées du syndrome d'Asperger sont aux prises avec divers problèmes liés à leur intégration sociale. Appelées à vivre en société, ces personnes doivent faire preuve d'autonomie et démontrer des comportements socialement acceptables. Or, c'est l'absence d'aisance sociale qui constitue la pierre d'achoppement de leur intégration effective dans leur entourage. D'autre part, parmi les troubles envahissants du développement (TED), le syndrome d'Asperger a été reconnu tardivement par la nomenclature de la CIM-10 (OMS, 1993) et du DSM-IV (APA, 1994). Aujourd'hui, les études ne cessent de se multiplier et plusieurs chercheurs se sont penchés sur les aspects qui rendent ce syndrome complexe. Cependant, malgré la multiplication des recherches et des publications, la question des relations interpersonnelles et de la sexualité des personnes Asperger est demeurée négligée.

Hans Asperger, psychiatre autrichien, a décrit de façon détaillée le syndrome pour la première fois en 1944. Il s'est basé sur l'observation d'enfants de sa clinique pour exposer les « psychopathies autistiques ». Ses conclusions différaient de celles de Kanner (1943), dont les travaux portaient sur l'autisme classique. Ce n'est qu'en 1981 que la communauté scientifique a pris connaissance du syndrome d'Asperger, grâce à l'article de Lorna Wing intitulé « Asperger's syndrome, a clinical account ». En 1991, Uta Frith a traduit l'article original d'Asperger en anglais.

Depuis les cinq dernières années, des cliniciens de même que des adultes Asperger (Aston, 2001 ; Attwood, 2004a ; Holliday Willey, 1999 ; Klin, Volkmar et Sparrow, 2000) se sont intéressés à ce sujet, et des ouvrages pratiques ont commencé à voir le jour. Attwood a publié *Le syndrome d'Asperger et l'autisme de haut niveau* (2004a), ouvrage de référence dans le domaine. Liane Holliday Willey, une adulte Asperger, a fait paraître deux ouvrages autobiographiques des plus captivants : *Pretending to be Normal* (1999) et *Asperger Syndrome in the Family : Redefining Normal* (2001). Ses réflexions sur sa condition d'Asperger sont pertinentes et aidantes pour les professionnels. Les recherches sur la prévalence, l'évaluation diagnostique et les méthodes d'intervention retiennent l'attention. Les travaux d'Attwood (1998a ; 2003b, 2004a) font état d'un taux de prévalence élevé. Ainsi, il avance une prévalence minimale de 0,20 % (1/500) et une prévalence maximale de 0,50 % (1/200), ce qui concorde avec la recherche d'Ehlers et Gillberg (1993). Les recherches sur la prévalence indiquent également un ratio de 4 garçons pour 1 fille, et de 10 garçons pour 1 fille qui se présentent en clinique. Ces chiffres démontrent une augmentation des cas connus qui est due à la reconnaissance du syndrome dans la nomenclature de l'Organisation mondiale de la santé (OMS) et de l'*American Psychiatric Association* (APA) ainsi qu'à l'amélioration des critères et techniques diagnostiques.

Le syndrome d'Asperger ou l'autisme de haut niveau ?

Un débat entoure la distinction entre le syndrome d'Asperger et l'autisme de haut niveau. En effet, alors que certains auteurs (ex. Schopler, 1998) défendent l'hypothèse selon laquelle ces deux entités nosographiques appartiennent au même continuum des troubles envahissants du développement, d'autres demeurent incertains quant à la possibilité d'une différenciation significative de ces deux états (voir Schopler, 1998).

De son côté, Attwood (2003b, 2004a) estime que l'autisme de haut niveau et le syndrome d'Asperger se retrouvent sur le même continuum. Il partage l'opinion selon laquelle la recherche d'une continuité entre les deux états est prônée en vue d'élaborer des programmes d'intervention accessibles à l'ensemble de la population autiste. Sa réflexion rejoint celle de Lorna Wing (1981) qui affirme que l'état de certains autistes dits « classiques » progresse vers le syndrome d'Asperger, surtout s'ils ont bénéficié d'interventions précoces.

Qu'il y ait différenciation ou non, il reste que ces deux groupes d'individus (autistes et Asperger) présentent des difficultés particulières sur le plan de leurs habiletés sexuelles. En dépit d'un intérêt certain manifesté par plusieurs auteurs au sujet du syndrome d'Asperger en général (Attwood, 1998a, 2004a ; Haracopos et Pedersen, 1999 ; Kempton, 1993 ; Klin et Volkmar, 2000), peu d'études ont porté sur le profil et les habiletés sexuelles de ces personnes, objets du présent ouvrage qui s'adresse autant aux individus autistes de haut niveau qu'aux individus Asperger.

Au moins quatre séries de critères diagnostiques du syndrome d'Asperger ont été élaborées : la Classification Internationale des Maladies (OMS, 1993), le DSM-IV (APA, 1994), les critères de Gillberg et Gillberg (1989) et ceux de Szatmari, Bremner et Nagy (1989). Pour être diagnostiqué Asperger, un individu doit présenter un certain nombre des caractéristiques associées à ce syndrome. Voici une synthèse des quatre séries de critères.

Synthèse des critères diagnostiques du syndrome d'Asperger

- Aucun retard de développement cognitif et langagier;
- Altération sévère quant aux interactions sociales:
  - sur les plans du contact visuel, de l'expression faciale et du langage non verbal,
  - difficultés à développer des relations amicales,
  - peu de réciprocité émotionnelle,
  - peu d'empathie;
- Champs d'intérêt inhabituels, stéréotypés et circonscrits:
  - routines et rituels,
  - comportements et mouvements stéréotypés,
  - intérêt envers certaines particularités des objets (couleur, texture);
- Perturbation du fonctionnement social, professionnel ou d'autres domaines importants;
- Aucun retard du développement cognitif: quotient intellectuel supérieur à 70;
- Ne répond pas aux critères associés soit à un autre TED, à un trouble de l'attachement, à un trouble obsessionnel-compulsif ou à la schizophrénie.

En plus de ces critères formels, des observations cliniques complètent le tableau diagnostique:

- Isolement social: les individus démontrent peu d'intérêt pour les relations interpersonnelles;
- Communication: les individus ne décodent pas le langage non verbal, et les échanges verbaux tiennent davantage du monologue que de la conversation à double sens. Il peut y avoir présence de néologismes (mots inventés par l'individu);
- Mimiques, stéréotypies: elles prennent la forme de tics, de mouvements corporels répétitifs, etc.;
- Imagination et théorie de la pensée: sur le plan cognitif, le niveau de développement des personnes Asperger permet l'accès au jeu symbolique; toutefois, elles présentent un déficit en ce qui a trait à la théorie de la pensée. Selon Tréhin (1999), cette théorie se définit par la capacité d'attribuer un état mental à soi-même et aux autres. Cette capacité de « méta-représentation » s'acquiert habituellement vers l'âge de quatre ans, mais, pour ces personnes, son acquisition demeure tardive. Les représentations symboliques sont surtout idiosyncrasiques, en ce sens qu'elles sont particulières et exclusives à l'individu;

- Réponses sensorielles : hyposensibilité et hypersensibilité des sens. Habituellement, un des sens est plus développé que les autres et il agit à titre de repère pour décoder les stimuli de l'environnement ;
- Fonctions motrices : motricité fine et coordination motrice déficitaires pour ce qui est de la gestuelle, de la démarche, des déplacements, des jeux, etc. ;
- Émotions : elles sont difficiles à décoder et à gérer, tant chez soi que chez l'autre.

Différents questionnaires et outils diagnostiques permettent d'évaluer la présence de caractéristiques liées au syndrome d'Asperger. Les grilles élaborées par Ehlers et Gillberg (1993) de même que l'*Australian Scale for Asperger's Syndrome,* de Garnett et Attwood (1995 ; dans Attwood, 2004a) mesurent l'étendue des caractéristiques chez les enfants. Pour les adultes, l'*Autism-Spectrum Quotient* (Baron Cohen et collab., 2001) et l'*Asperger Syndrome Diagnostic Scale* (Myles, Simpson et Bock, 2000) permettent d'évaluer la présence de certains traits Asperger chez la population adulte.

En réponse aux critères diagnostiques basés sur les déficits des individus, Attwood et Gray (1999b) ont élaboré les critères *Aspie* qui s'inspirent des forces et talents des personnes Asperger. Cette approche positive s'accompagne d'interventions qui mettent en valeur leurs capacités spéciales. Les critères *Aspie* se résument comme suit :

- Les interactions sociales sont basées sur la relation authentique avec l'autre. La personne ne recourt pas au jugement ni aux préjugés sexistes ou culturels dans ses relations interpersonnelles ;
- Le langage est développé et le vocabulaire, riche, est habituellement qualifié de « pédant » ;
- Les habiletés cognitives sont caractérisées par l'attrait des détails et la collection d'informations sur des sujets précis ;
- Une tendance marquée pour les activités ou loisirs individuels requérant endurance et concentration est observée ;
- L'individu détient des connaissances encyclopédiques sur certains sujets passionnants comme l'aviation, les insectes, l'informatique, l'histoire, les chiffres et les calendriers, etc. ;
- Il a une mémoire phénoménale (mémoire à long terme) concernant plusieurs faits et détails : dates, noms, horaires, trajets, etc. ;
- Certains ont des dons particuliers dans plusieurs domaines tels que la musique, le dessin, les sciences, etc.

L'évolution du syndrome d'Asperger est un sujet encore peu exploré. Par ailleurs, l'apparition des symptômes permet théoriquement le diagnostic dès l'âge de trois ans. La différence de l'enfant est souvent reconnue très tôt par les parents ou au cours des premières années scolaires. Le contexte scolaire étant distinct du milieu familial, le contact avec les autres enfants permet de faire ressortir les caractéristiques différentielles. Le syndrome d'Asperger est en constante évolution, et ce, durant toute l'existence de l'individu. L'intervention comportementale est d'une importance cruciale, car elle permet à l'individu de développer son plein potentiel et de pallier ses difficultés spécifiques.

Notions de sexualité

La tendance à définir différemment la sexualité des personnes affectées du syndrome d'Asperger ne fait qu'augmenter les résistances qui empêchent l'accessibilité à l'information et à l'éducation dont elles pourraient bénéficier. Combien de fois a-t-on entendu cette remarque : « Nous avons déjà suffisamment de difficultés, ne venez pas nous parler de sexualité » ? Ou encore, celle de parents : « Si nous lui parlons de sexualité, cela va lui en donner l'envie » ? La suite du propos sera donc guidée par cinq prémisses liées à la philosophie de la sexualité des adolescents et des adultes en général.

1. Il n'y a aucune corrélation positive entre les connaissances et l'intérêt pour la sexualité. Un individu qui possède des connaissances n'aura pas plus de comportements sexuels.
2. L'adolescence est une période marquée par la curiosité et l'exploration ; cette phase du développement sexuel est tout à fait saine.
3. L'ignorance engendre de nombreuses craintes chez les individus et leur entourage. Plus la personne sera informée à titre préventif, plus elle développera son propre jugement. Elle sera ainsi en mesure de mieux réagir dans différentes situations.
4. Il y a moins de risques qu'un comportement devienne excessif s'il est accepté et bien orienté plutôt qu'interdit.
5. Les pulsions et désirs sexuels ne pouvant être réprimés, ils doivent être dirigés afin que leur expression soit adéquate et socialement acceptable.

La puberté

Les changements corporels et l'hygiène

Des auteurs tels que Gillberg (1983), Haracopos et Pedersen (1999), Hellemans (1996), Hingsburger (1993), Ousley et Mesibov (1991) estiment que les individus Asperger présentent un développement des caractères sexuels secondaires (augmentation hormonale, pilosité, maturité des organes génitaux, etc.) semblable à celui de la population en général. Ils démontrent également le même intérêt socio-sexuel et les mêmes besoins sexuels que leurs pairs. En revanche, ils éprouvent des difficultés de communication, et ce manque d'habiletés sociales hypothèque leur capacité d'interactions sexuelles, en plus de favoriser l'émergence de conduites sexuelles inappropriées.

La période appelée « puberté » se déroule entre l'âge de 8 et 16 ans et elle est associée aux changements physiologiques liés à la capacité de reproduction du garçon et de la fille. Il est possible de voir émerger ces caractéristiques chez des individus plus jeunes (précocité) ou plus âgés (à retardement). Dans le cas d'un développement sexuel précoce, il arrive que le jeune ait une libido élevée et qu'il expérimente très tôt des comportements sexuels. La recherche du plaisir sexuel au moyen de la masturbation en est un exemple. Dans d'autres cas, le jeune peut manifester ses pulsions sexuelles par une recherche de contacts physiques, par une curiosité importante et, parfois, par des comportements sexuels inappropriés (masturbation excessive, attouchements sur de jeunes enfants, exhibition des organes génitaux, sexualisation de la relation avec les parents, la fratrie ou les pairs, etc.). Ces conduites feront l'objet du prochain chapitre.

Pour la jeune personne Asperger, les différences individuelles, les caractéristiques familiales, les facteurs génétiques et l'influence de l'environnement ont une incidence notable sur le développement des caractères sexuels secondaires. Habituellement, le processus de puberté se termine entre 18 et 22 ans. Cette étape importante du développement sexuel comprend en outre de nombreux aspects : émotif, hormonal, social, interpersonnel et physiologique.

Plusieurs thèmes doivent être abordés dès l'âge de la puberté : ils constitueront la base de l'éducation sexuelle de l'individu. En voici quelques-uns, qui proviennent du *National Information Center for Children and Youth with Disabilities* (1992) :

- Les organes sexuels : noms et fonctions, descriptions concrètes et images ;
- Les changements corporels à la puberté ;
- L'estime de soi ;
- L'information sur les émissions nocturnes ;
- Les valeurs et les étapes liées à la prise de décision ;
- L'intimité : les endroits privés et publics ;
- La santé sexuelle et l'examen initial des organes génitaux — ou l'examen gynécologique ;
- La communication : relations interpersonnelles, amour, intimité et amitié ;
- L'effet de l'alcool et des drogues sur la prise de décision ;
- Les relations sexuelles et autres comportements sexuels ;
- La masturbation ;
- L'orientation et l'identité sexuelles ;

- La planification des naissances, les menstruations et les responsabilités parentales ;
- Les condoms, la contraception et la prévention des maladies transmissibles sexuellement (MTS) ;
- Les émotions liées à la sexualité et leur lien avec les comportements sexuels.

Avant même l'adolescence, un enseignement de base est conseillé. Par exemple, pour les jeunes de 6 à 12 ans, *Le grand livre de la sexualité* (Diaz Morfa, Marassi Candia, Migallon Lopezosa et Palop Botella, 2002) informe de façon claire et respectueuse. L'ouvrage, qui est particulièrement bien illustré, présente des thèmes tels que les relations affectives et sexuelles, les différences anatomiques entre les hommes et les femmes, les transformations à l'adolescence, la fécondation, la grossesse, l'accouchement et, finalement, il démonte toutes les fausses croyances entourant la sexualité. D'autre part, le programme *Life Horizons I & II* (Kempton, 1999), destiné aux adolescents et aux adultes, comporte une série de diapositives sur la physiologie et les organes sexuels. Les photos peuvent accompagner les explications afin de concrétiser les enseignements et d'éviter tout malentendu. Les détails de ce programme sont présentés sur le site www.stanfield.com.

De plus, au moment d'aborder ces différents thèmes, il est important d'enseigner les termes exacts du lexique sexologique et leurs équivalents populaires. Il est fort probable que l'adolescent Asperger connaît déjà quelques termes scientifiques qui décrivent la sexualité (surtout s'il a un penchant pour les connaissances encyclopédiques). Il est toutefois préférable d'utiliser les noms plus courants afin de lui permettre d'associer plus d'un mot au même concept. Il faut éviter un apprentissage trop rigide qui pourrait lui nuire plus qu'autre chose. Le vocabulaire propre aux jeunes de son âge doit lui être accessible afin qu'il puisse interagir d'égal à égal au sein d'un groupe de pairs. Cela ne signifie pas pour autant d'utiliser un langage vulgaire pour aborder la sexualité. Il faut cependant faire preuve d'une certaine ouverture d'esprit dans le but d'éviter la stigmatisation ou le rejet de la part des pairs.

Reprenant ces thèmes, la *Calgary Birth Control Association* (2002) a produit un document détaillé sur la santé sexuelle et l'éducation, dont voici quelques éléments.

Chez les filles, la puberté débute par la *ménarche* (les premières menstruations ou règles) qui indique la maturité du système reproducteur. Certains symptômes physiologiques peuvent accompagner les premières menstruations (crampes abdominales, mouvements intestinaux, sensibilité des seins, maux de tête, etc.). Ces symptômes sont habituellement passagers et peuvent être allégés par de bonnes habitudes alimentaires et de l'exercice. Dans certains cas, un antalgique menstruel peut être utilisé afin de diminuer l'inconfort. D'autre part, la présence des hormones sexuelles (œstrogène et progestérone) provoque divers changements physiologiques : augmentation du volume des seins, pertes vaginales (de couleur blanchâtre), pousse des poils (pubis, aisselles, jambes, avant-bras, etc.) et, pour certaines, apparition de boutons ou d'acné. Enfin, pendant la puberté, le poids du squelette et des muscles va augmenter et les hanches vont s'élargir.

Une hygiène corporelle quotidienne est recommandée, car la poussée hormonale provoque différentes sécrétions (région génitale, aisselles, chevelure, visage) et occasionne des odeurs corporelles plus fortes.

Quant aux menstruations, elles sont causées par la dégradation d'une fine pellicule de peau dans l'endomètre, l'organe qui accueille le fœtus. S'il n'y a pas de fécondation dans le mois, la couche de l'endomètre est évacuée avec le flux sanguin (les menstruations). Les serviettes hygiéniques sont recommandées et faciles à utiliser. Elles devraient être remplacées toutes les deux à quatre heures, selon l'abondance du flux menstruel. S'il est faible, la serviette doit être changée lorsqu'elle est suffisamment imbibée de sang. Le port de tampons est aussi possible lorsque l'adolescente se sent prête à insérer l'objet à l'intérieur de son vagin. Le tampon ne doit jamais être porté la nuit étant donné le risque de choc toxique (empoisonnement) ; il est donc préférable de porter une serviette hygiénique pendant le sommeil. Une démonstration peut précéder ou accompagner l'utilisation du tampon. Pour ce faire, il est recommandé d'utiliser un modèle génital (en bois ou en caoutchouc) ou un dessin. La démonstration consiste à examiner un tampon et à expliquer comment et où l'insérer. Le graphique des organes génitaux féminins (*voir l'atelier n° 4*) pourra être utilisé à cet effet. Le *Family Planning Queensland* (www.fpq.asn.au) a développé une série de brochures éducatives dont une intitulée *About Periods* qui illustre les étapes d'utilisation des serviettes hygiéniques. Les douches vaginales ou les déodorants parfumés pour la vulve sont déconseillés, car les risques d'irritation ou d'infection sont élevés. Pendant les règles, l'emploi d'un savon doux et le rinçage à l'eau propre doivent être quotidiens. Les menstruations peuvent dégager une certaine odeur, ce qui est normal. C'est pour cette raison qu'il est important de suivre les conseils d'hygiène. Il en résultera un plus grand confort personnel, sans compter que ces bonnes habitudes pourront favoriser les contacts avec les autres.

Les changements liés à la puberté peuvent être abordés concrètement avec les jeunes. L'information doit être pratique et visuelle. Les brochures de *Family Planning Queensland* répondent à ces critères ; elles pourront s'avérer fort utiles. Si l'adolescente exprime de l'appréhension ou de l'anxiété à l'égard des menstruations, une visite chez le médecin ou une infirmière d'un centre de santé communautaire ou d'une clinique constitue une option intéressante. Comme l'information sera transmise par un professionnel, il est fort probable que l'adolescente en reconnaîtra la pertinence et la valeur.

Sur les plans sexuel et interpersonnel, la poussée des seins peut entraîner différentes réactions chez les adolescentes Asperger. Comme ce changement est visible, certaines se réjouiront de la transformation, car il s'agit d'un signe lié à la féminisation. Concrètement, le fait d'avoir des seins rassure la jeune fille sur son identité de genre (son appartenance au sexe féminin) et sur sa différence sexuelle. Certaines valorisent la féminité dans tous ses aspects (vêtements, maquillage, coiffure, accessoires, etc.). Plusieurs, par contre, appréhendent la puberté et les transformations corporelles qui l'accompagnent. La poussée des seins est un événement qui peut susciter de l'anxiété et entraîner, du même coup, des comportements problématiques. Voici un exemple qui illustre les changements physiologiques liés à la puberté.

Annie, 13 ans, refuse catégoriquement de porter son premier soutien-gorge car, concrètement, cela confirme qu'elle a des seins. Dans sa classe, les garçons se moquent des filles qui ont des seins. Elle choisit de s'habiller avec des vêtements amples et souhaite ressembler aux garçons afin d'éviter leurs plaisanteries. Quelques jours plus tard, elle regarde un magazine où des vedettes de cinéma sont présentées en maillot de bain. Les images sèment la confusion chez Annie, car elle remarque que toutes les femmes en maillot ont des seins volumineux. Elle devient anxieuse et examine ses seins tous les matins, craignant de se réveiller avec une mauvaise surprise : des seins soudainement devenus gros.

À l'école, Annie a soulevé son chandail afin de prouver aux autres qu'elle ne portait pas de soutien-gorge. Tous ces événements se sont entremêlés, et Annie a manifesté plusieurs signes d'anxiété.

L'intervention d'aide en vue de dédramatiser cette situation s'est déroulée en deux étapes. Premièrement, l'information générale sur la puberté a été abordée. La discussion a porté sur les changements à l'adolescence (hormones, transformation graduelle du corps, pilosité, sécrétions corporelles) ainsi que sur les changements corporels qu'Annie a remarqués et qu'elle trouve positifs (par exemple, elle aime être plus grande que sa sœur, elle a des muscles, elle aime utiliser du déodorant).

Dans un deuxième temps, elle a été invitée à découper des photos de jeunes femmes en soutien-gorge dans des magazines ou des catalogues. L'objectif consistait à lui faire observer les différences entre les poitrines des jeunes filles et celles des jeunes adultes. Il est important d'expliquer qu'il y a un lien proportionnel entre la grosseur des seins et le reste du corps. De façon générale, une fille qui a un corps de taille « moyenne » (taille de vêtements 6-8 ans ou M) aura aussi des seins de taille moyenne (34 à 38 B, C ou D). Dans un tableau, Annie a pu repérer sa taille et la grosseur de poitrine à laquelle elle peut s'attendre. Le tableau 1.1 est un exemple de charte qui peut être présenté aux adolescentes (*voir page 10*).

Tableau 1.1 Charte et équivalences (Canada, États-Unis, France et Europe)

Bonnets					
Canada – États-Unis	32 A, B, C	34 A, B, C	36 A ,B, C	38 A, B, C	40 A, B, C
France	85	90	95	100	105
Europe	70	75	80	85	90

Taille				
4-6	6-8	8-10	10-14	14 +
XS	S	M	L	XL

L'intervention a été complétée par les images montrant différents modèles de soutiens-gorge et différentes grosseurs de poitrines. Puis, les images de vedettes de cinéma en maillot de bain ont été revues et il a été jugé opportun d'expliquer à Annie l'existence des implants mammaires. Elle a saisi cette notion et, du même coup, elle a compris qu'elle ne pourrait se réveiller un matin avec une poitrine imposante.

Certaines jeunes filles acceptent mal les changements liés à la puberté. Cette attitude peut trahir leur peur de vieillir (devenir une adolescente, une adulte) et de ne pas pouvoir demeurer une enfant. La peur de vieillir peut être liée à l'angoisse suscitée par les responsabilités ou les prises de décision qui accompagnent l'adolescence. Un bon moyen pour contrer ce problème consiste à faire la liste des privilèges liés à l'adolescence et à discuter des avantages qu'ils procurent. Par exemple, se coucher plus tard le soir, conduire une mobylette, gagner de l'argent de poche grâce à des petits travaux effectués dans le quartier (livrer le journal, tondre la pelouse, jardiner, laver des voitures, etc.). Avec l'argent ainsi gagné, il deviendra possible d'acheter un nouvel élément pour la collection de vieux disques, de papillons, de livres d'astronomie, etc. Les occasions de sorties sont également plus intéressantes : joindre l'équipe de quilles locale, s'inscrire aux tournois d'échecs, au club de lecture de la bibliothèque, aux cours de peinture, etc. Il est important de favoriser l'autonomie des jeunes et de renforcer leur motivation à s'assumer, en se basant d'abord sur leurs champs d'intérêt spécifiques.

Chez les garçons, les manifestations de la puberté sont également nombreuses. Les testicules vont prendre du volume (la forme et la grosseur varient d'un adolescent à l'autre) et la production de spermatozoïdes va débuter. Le pénis allonge et s'élargit, et sa longueur à l'état flacide (non rigide) n'indique pas sa longueur au moment de l'érection. La longueur du pénis en érection varie de 6 à 20 cm (2,5 à 8 po), ce qui constitue la norme. La taille moyenne du pénis en érection de l'homme est de 12,5 à 20 cm (5 à 7 po). Certains adolescents sont curieux alors que d'autres sont inquiets quant à la grosseur de leur pénis. Le pénis est symbole de masculinité. Il peut être important de présenter ces informations de base et de faire découvrir à l'adolescent différents modèles de pénis (grosseurs, longueurs et couleurs variables) afin qu'il découvre la variété et l'individualité des organes génitaux. Les modèles habituels des livres d'éducation sexuelle ne sont ni représentatifs ni concrets. Toutefois, il en existe un, *Le pénis illustré* (Cohen, 2000), qui est à la fois amusant et utile pour aborder le sujet par les biais de l'histoire, de l'art ainsi que des différentes pratiques. Le site www.thepenisbook.com offre un complément intéressant au livre. L'adolescent apprendra que l'érection du pénis peut être accompagnée de l'éjaculation (liquide séminal projeté par l'urètre) et que les émissions nocturnes sont choses courantes. Les informations générales sur l'éjaculation (la constitution, les contractions et la durée) sont également détaillées dans l'ouvrage de Cohen.

La puberté peut entraîner une croissance rapide du corps, ce qui provoque de la fatigue, une augmentation de l'appétit et certaines maladresses liées aux habiletés motrices. La voix peut muer ou demeurer la même. Comme chez les filles, la pilosité et les sécrétions corporelles sont plus fortes, d'où l'importance d'une hygiène corporelle quotidienne. La brochure du *Family Planning Queensland* sur la puberté des adolescents explique ces changements et peut servir d'aide-mémoire sur l'hygiène quotidienne.

Des problèmes d'hygiène sont présents chez certains adolescents et adolescentes. La négligence peut avoir des conséquences sur la santé (infection, irritation) et sur les relations interpersonnelles (évitement, rejet, stigmatisation). Afin d'éviter ces difficultés, les étapes de l'hygiène quotidienne peuvent être détaillées sous forme de tableau aide-mémoire, tel qu'illustré au tableau 1.2 (*voir page 12*). En cochant les cases chaque jour, l'adolescent apprendra à assumer la pleine responsabilité de son hygiène corporelle.

Pour certains, les produits utilisés ont avantage à être doux et peu parfumés, surtout si leur odorat est très développé. Pour d'autres, l'utilisation de produits parfumés et colorés peut devenir une source de plaisir et de renforcement. Certaines jeunes filles aiment utiliser des savons et des crèmes pour le corps ou d'autres produits aux parfums délicats. Il est important de proposer l'essai de quelques produits à l'adolescent ou l'adolescente qui refuse de se laver. Dans les cas d'allergies ou de réaction cutanée dues à l'emploi de produits courants, les produits « naturels » sont à considérer. Les savons et les shampooings à base végétale sont plus coûteux, mais moins dommageables pour les peaux sensibles. Certaines compagnies proposent des gammes de savons, de crèmes pour le corps et de déodorant à base de glycérine et d'herbes naturelles qui pourront plaire à certains adolescents.

Tableau 1.2 Aide-mémoire pour les soins d'hygiène quotidiens

Soins	Lundi		Mardi		Mercredi		Jeudi		Vendredi		Samedi		Dimanche	
	☼	☽	☼	☽	☼	☽	☼	☽	☼	☽	☼	☽	☼	☽
Cheveux														
Corps														
Visage														
Dents														
Vêtements propres														
Menstruations (changer serviette/ tampon aux 2-4 heures)														

La contraception

Avec la puberté, le système reproducteur atteint sa maturité. Il est alors temps d'explorer les méthodes de contraception. Kempton (1993) propose trois étapes: 1) présenter les notions de base liées à la contraception et à la grossesse; 2) découvrir les différentes méthodes de contraception; 3) se préparer à la visite chez le médecin (examen initial des organes internes).

Les méthodes de contraception sont utilisées pour prévenir une grossesse non désirée. Aucune méthode n'est sûre à 100%, mais l'utilisation adéquate de certains moyens peut garantir jusqu'à 98% d'efficacité (*Calgary Birth Control Association,* 2002, www.cbca.ab.ca). Il convient tout d'abord de préciser que l'abstinence (le fait de ne pas avoir de relations sexuelles avec pénétration), bien qu'elle soit un comportement sexuel sécuritaire, n'est pas considérée comme un moyen de contraception mais plutôt comme un choix personnel. Par ailleurs, il existe plusieurs méthodes de contraception simples et efficaces. Les adolescents devraient choisir la méthode qui leur convient le mieux en tenant compte de différents critères tels que le coût, l'accessibilité, la fréquence d'utilisation, etc. Les préservatifs et les anovulants (la pilule) sont les deux méthodes les plus populaires chez les adolescents en général. Ces deux méthodes combinées, si elles sont bien utilisées, sont efficaces en matière de planification des naissances et de prévention des maladies transmissibles sexuellement (MTS, maintenant appelées ITSS: infections transmissibles sexuellement et par le sang). Avant de recourir aux contraceptifs, l'adolescent devra s'assurer qu'il en comprend bien les différentes étapes d'application. De nombreuses brochures d'information sur ce sujet sont disponibles dans les cliniques pour jeunes, les hôpitaux, les centres de santé communautaire et les organismes de planification familiale.

La pilule anticonceptionnelle (anovulant) est une méthode contraceptive dont l'efficacité peut atteindre jusqu'à 98 % si elle est utilisée de façon appropriée. Chaque pilule contient des hormones synthétiques qui bloquent et préviennent l'ovulation mensuelle. Lorsqu'une adolescente prend quotidiennement sa pilule, les ovules ne sont pas libérés des ovaires, et la fécondation n'est donc pas possible. La prise d'anovulants entraîne également des changements au niveau de la paroi de l'utérus, ce qui empêche l'implantation d'un ovule. Comme toutes les méthodes contraceptives, la pilule comporte des avantages et des inconvénients. Ces informations sont disponibles chez le pharmacien, sur les boîtes d'anovulants ou encore sur les sites Internet des différentes compagnies pharmaceutiques qui les produisent.

Les injections de *Depo-Provera* contiennent de la progestine, une hormone synthétique semblable à la structure de la progestérone. Un médecin donne l'injection cutanée tous les trois mois. Les effets sont sensiblement les mêmes que ceux de la pilule anticonceptionnelle. Les détails de cette méthode ainsi que ses avantages et ses inconvénients doivent être discutés avec le médecin traitant.

Le préservatif (condom masculin) prévient la grossesse dans 85 à 88 % des cas. Lorsqu'il est combiné à un spermicide en gel ou en mousse qui contient du *Nonoxynol-9*™, son efficacité augmente à 95 %. Le condom est efficace, peu coûteux et approprié pour les adolescents. (L'utilisation adéquate du condom est présentée dans l'atelier n° 7 du programme d'éducation sociosexuelle.) Les autres moyens de contraception comme le condom féminin, le stérilet et le *Norplan* sont présentés sur le site de la *Calgary Birth Control Association,* dans le *Programme d'Éducation Sexuelle* de Durocher et Fortier (1999) ainsi que dans la brochure *Contraception Choices* (*Family Planning Queensland,* 2001).

La visite médicale et l'examen gynécologique initial peut entraîner un certain stress chez les adolescentes Asperger. Comme il s'agit d'une nouvelle expérience, la gêne, la méconnaissance et la pudeur provoquent chez elles une anxiété plus marquée que chez les adolescentes en général. Quelques informations sont nécessaires afin de préparer la visite chez le médecin. L'objectif de l'examen gynécologique est de s'assurer que les organes internes (vagin, col de l'utérus) et externes (vulve, grandes et petites lèvres) ne présentent aucune anomalie. Il est primordial de se soumettre à l'examen à titre préventif.

L'adolescente doit arriver à développer une attitude responsable. Ainsi, elle doit acquérir un maximum d'informations sur son développement sexuel afin d'éviter les malentendus et l'interprétation erronée des signes de la puberté. L'examen gynécologique est un moyen concret d'y parvenir. En effet, le professionnel sera en mesure de lui expliquer les changements qui se produisent à la puberté (hormones, caractères sexuels secondaires, prévention des MTS et du sida, reproduction et contraception). Il faut diriger l'adolescente vers un médecin compétent, à l'aise avec le sujet de la sexualité. Au moment de prendre rendez-vous, il conviendra d'expliquer la situation au médecin et de lui demander de mettre des dépliants d'information complémentaire à la disposition de l'adolescente. Il faut expliquer à celle-ci que la visite médicale lui permettra de poser différentes questions. Cette visite peut également être l'occasion d'aborder le sujet de la planification des naissances. L'efficacité et la simplicité des moyens de contraception seront présentées à l'adolescente dans un contexte approprié.

Si l'adolescente refuse d'aller voir un médecin, une éducatrice ou une sexologue (un professionnel du même sexe facilite souvent l'approche) pourra fournir les mêmes renseignements, sans toutefois procéder à l'examen physique. Il faudra demander à l'adolescente ce qu'elle préfère et l'encourager dans cette démarche. Dans le cas de la visite médicale, comme l'information provient d'un spécialiste, il y a plus de chances que l'adolescente accepte le rendez-vous. Les personnes Asperger sont sensibles à l'opinion des professionnels qu'elles considèrent comme détenteurs d'un savoir scientifique.

Si la résistance est majeure, l'infirmerie de l'école est une alternative possible pour ce type d'examen de routine. L'école étant un lieu connu, l'anxiété peut alors diminuer. Il reste que cet examen, bien que conseillé, n'est pas obligatoire. Il est possible de le reporter et d'attendre un meilleur moment pour l'adolescente. Si elle associe l'examen gynécologique et la sexualité à un niveau d'anxiété élevé, il vaut mieux remettre le rendez-vous. La situation serait différente si elle présentait une infection ou un problème de santé.

L'influence sociale

De façon générale, les adolescents sont habituellement sensibles à l'image qu'ils projettent. Les standards et la mode ont une prédominance certaine, et le groupe des pairs joue un rôle important. Chez les adolescents Asperger, les stéréotypes liés à l'adolescence peuvent être vécus différemment. Par exemple, le désir de joindre un groupe d'amis est moins pressant, et les critères de la mode (vêtements, musique, attitudes, code de langage, etc.) ont un impact beaucoup moins grand. Comme la personne Asperger perçoit les règles sociales d'un œil particulier, elle va les intégrer de façon différente. Habituellement, deux réactions peuvent être observées : ou bien l'adolescent n'est pas influencé par les stéréotypes et le courant actuel, ou bien il les intègre de façon littérale. Dans ce dernier cas, il peut y avoir une forme « d'exagération » des comportements, des attitudes ou des codes vestimentaires en vogue.

Jimmy, 16 ans, possède les caractéristiques liées au syndrome d'Asperger (communication, champs d'intérêt spécifiques, difficultés dans ses relations interpersonnelles et dans la gestion de ses émotions, etc.). À la rentrée scolaire, il observe un groupe de jeunes de son âge : ils écoutent de la musique hip-hop, ils ont tous des blousons noirs avec un col de fourrure et une casquette portée à l'envers. L'un d'eux salue Jimmy et l'invite à une soirée le lendemain. Aussitôt, Jimmy demande à ses parents de lui acheter de nouveaux vêtements (comme ceux du groupe de jeunes). Pourtant, la semaine dernière, il refusait de changer ses vieux vêtements (toujours le même jeans et le même tee-shirt de coton blanc si confortable). Il fait une crise à ses parents et promet de porter ses nouveaux vêtements durant toute l'année scolaire. Les parents cèdent. Mais, pendant la fête, certains jeunes font des commentaires désobligeants sur l'habillement de Jimmy : en effet, il n'arbore pas le même logo qu'eux sur sa casquette.

Dans son choix de vêtements, Jimmy ne s'est pas arrêté à ce qu'il voulait vraiment porter, mais plutôt à ce que le groupe avait préféré. Lorsque les choix sont rigides (car dictés par la société, le courant actuel ou un groupe de jeunes), la personne Asperger risque d'être prise au piège par des décisions qui ne sont pas réfléchies ou voulues. Cela peut entraîner le rejet, surtout lorsque la relation sociale est uniquement basée sur le style ou l'appartenance à un groupe, sans qu'il y ait une amitié partagée ou un attachement véritable entre les adolescents.

Il est possible d'aider ces personnes à développer leurs goûts vestimentaires en leur donnant la possibilité de choisir ce qu'elles préfèrent.

Sophie, une adolescente de 17 ans, a souvent reçu des commentaires désobligeants sur ses tenues vestimentaires. Elle préfère les vêtements d'occasion, dans les teintes de brun. Elle porte les mêmes vêtements depuis plusieurs années et remarque que les filles de son âge adoptent un style tout à fait différent. Après avoir regardé des magazines de mode pour adolescentes, Sophie a pris la décision de changer sa coiffure. Elle s'est fait couper les cheveux et porte des mèches rouges. Les réactions de son entourage ont été positives, sauf celle de ses parents, qui ont moins apprécié ce changement radical. Du même coup, Sophie a choisi de s'acheter un ensemble constitué d'une veste et de jeans.

Lorsque l'auteure l'a aperçue lors d'une rencontre pour les personnes Asperger, elle a cru qu'il s'agissait d'une nouvelle intervenante. Le changement était époustouflant ! Plusieurs jeunes filles l'ont approchée pour lui demander où elle avait déniché tout cela. La réaction de renforcement a eu un effet très positif sur Sophie. Elle se sent plus confiante et mieux dans sa peau. Il s'agit d'encourager ce type de changement lorsqu'il se manifeste, surtout si l'initiative vient de la personne elle-même.

La période de l'adolescence est également celle où l'estime de soi se construit. La sexualité est intimement liée à ce stade, et c'est pourquoi les adolescents Asperger ont besoin de soutien. Ils ont besoin d'exprimer leurs émotions conflictuelles, les expériences qu'ils vivent ainsi que leurs préoccupations. Les parents et les professionnels qui les entourent doivent accueillir leur « différence » et les encourager à développer leurs forces et leurs capacités particulières. Ces adolescents étant extrêmement sensibles au regard des autres, ils ont besoin de développer une image d'eux qui soit valorisante et non « déficiente ». Les difficultés qu'ils éprouvent sur le plan des relations interpersonnelles risquent d'augmenter le sentiment de rejet qu'ils vivent parfois au quotidien.

> Luc a 14 ans. Il termine ses études secondaires avec beaucoup de difficulté. À l'école, il obtient de faibles résultats et, depuis trois ans, il stagne dans ses cours de français et de mathématique. Il se retrouve donc avec des élèves de 12 et 13 ans, de même niveau que lui. Comme il ne partage pas les mêmes activités qu'eux, il préfère se retirer dans «son monde», constitué de dessins d'ordinateurs et de pièces électroniques. Il se dit malheureux en classe et trouve qu'il n'est pas à sa place.

De manière générale, les adolescents aiment se retrouver avec des jeunes du même âge qu'eux. Ils sont souvent critiques envers les plus jeunes et ils ne valorisent pas les contacts avec les élèves des années inférieures. Plus particulièrement, les adolescents Asperger cherchent la compagnie d'adultes avec lesquels ils peuvent échanger intellectuellement tandis que les plus jeunes préfèrent habituellement le jeu.

> Luc se sent pris au piège. Depuis deux ans, il ne fait plus d'efforts pour rencontrer d'autres élèves de l'école puisque, de toute façon, il retourne toujours dans la même classe, avec les mêmes élèves plus jeunes que lui. Sa détresse s'est transformée en agressivité à l'endroit de tous les adolescents de l'école. Il ne supporte plus de voir de petits groupes d'amis se promener ou faire des activités. Il interprète le regard des autres sur lui comme du rejet et se sent anormal.

Attwood (2003b) fait référence aux difficultés qu'éprouvent les personnes Asperger à décoder les expressions du visage humain. L'interprétation littérale des signaux (gestes, paroles, regards) entraîne de nombreux malentendus et une compréhension rigide des interactions sociales. Ainsi, les expériences passées de Luc le rendent sensible au rejet et c'est pour cette raison qu'il dirige son agressivité vers tous les adolescents. Les interventions avec Luc ont porté sur l'enseignement des habiletés d'amitié de base (saluer les autres, entreprendre une discussion, s'intéresser à l'autre, partager, etc.) et sur la prise d'initiatives. Peu à peu, il a acquis une certaine confiance en lui et a accepté de participer à une soirée organisée par les jeunes de son école. Il s'est senti valorisé lorsqu'il a reçu l'invitation, et l'agressivité qu'il avait ressentie jusqu'alors s'est transformée en fébrilité.

La sexualité implique les notions liées à l'estime de soi et à la confiance en soi. Avant d'entreprendre une relation avec une autre personne, il est souhaitable que l'adolescent se sente bien avec lui-même. L'estime de soi se construit grâce aux relations avec l'autre. Les habiletés sociales se développent, l'amitié évolue et les besoins affectifs sont ainsi comblés. Dans le cas des adolescents Asperger, l'anxiété et la gêne freinent les contacts sociaux, les expériences sont limitées et, par conséquent, l'estime de soi est faible. Les comportements de retrait, d'isolement ou la fuite vers un domaine d'intérêt spécifique rendent l'adolescent Asperger plus vulnérable aux sentiments dépressifs. L'école, le milieu de travail, les clubs et les associations sont tous des environnements sociaux. Plus l'adolescent expérimentera les difficultés et l'échec dans ses relations, plus il développera le mécanisme de protection appelé « évitement ». La peur de mal agir ou de faire des erreurs peut entraîner une phobie sociale (Attwood, 2003b). À long terme, le champ d'intérêt spécifique risque de devenir le seul champ d'activité dans lequel l'adolescent se sentira compétent et adapté. Évidemment, les relations interpersonnelles seront évitées, car elles sont vécues comme des échecs constants.

Il est important de favoriser l'expression émotionnelle chez les adolescents Asperger. Les déceptions, les craintes, la tristesse et l'agressivité ont avantage à être exprimées afin d'éviter l'apparition de comportements inappropriés. La gestion des émotions, les histoires sociales et la thérapie cognitive et comportementale adaptée aux individus Asperger (Attwood, 2003a, 2004a) font partie des moyens d'intervention à mettre de l'avant.

Les comportements sexuels

La période de l'adolescence est marquée par le désir d'explorer et d'expérimenter différents comportements sexuels. Les adolescents Asperger manifestent une curiosité certaine pour la sexualité, mais leurs comportements sexuels sont influencés par plusieurs facteurs comme les différences individuelles, familiales et culturelles.

Selon Griffiths (1999) et Hingsburger (1993), quatre facteurs doivent être considérés pour saisir la complexité du développement sexuel des personnes présentant un trouble du développement : le manque de connaissances sociosexuelles, la disparité des sexes, les restrictions de l'environnement et l'intimité.

Le manque de connaissances sociosexuelles

Vers l'âge de la puberté, un phénomène de plateau est observé : les adolescents Asperger atteignent rarement la maturité d'un jeune adulte. Ils ne vivent pas les mêmes expériences que les adolescents en général, que ce soit au niveau de l'identité de genre (sentiment d'appartenance à son sexe) ou des interactions avec les autres adolescents, et plus particulièrement avec le sexe opposé. Les jeunes sont prisonniers du phénomène de l'asexualisation sociale : leur sexualité n'est pas reconnue, comme si leur condition atténuait cette réalité. D'un autre côté, l'hypersexualisation de certains adolescents est perçue comme une incompréhension des règles sociales ou de la notion de consentement. Il arrive souvent que leur entourage nie leurs besoins sexuels. De plus, ils reçoivent peu de soutien social : avec qui peuvent-ils partager leurs expériences et leurs sentiments ? Les pairs et les parents peuvent être mal à l'aise avec cette thématique, ce qui amène l'adolescent à s'isoler lors de situations sociales. D'une part, les adolescents ont des besoins sexuels qu'ils tentent d'exprimer et, d'autre part, ces mêmes comportements sexuels sont punis. Cette ambivalence provoque souvent l'apparition de comportements inappropriés (Griffiths, Quinsey et Hingsburger, 1989).

Dans une recherche récente, les adolescents Asperger qui ont répondu au « Questionnaire des connaissances sexuelles » (Durocher et Fortier, 1999) ont obtenu des résultats inférieurs à ceux des adolescents en général (Hénault, Forget et Giroux, 2003). Certains d'entre eux ont un niveau de connaissance très élevé sur des sujets précis (anatomie, transsexualisme, hormones, etc.), mais les thématiques sexuelles générales sont peu comprises.

La disparité des sexes

Plusieurs personnes Asperger font l'expérience de la disparité des sexes, que ce soit dans les établissements spécialisés, dans les groupes de soutien ou à l'école. Le ratio étant de 4 à 5 hommes pour 1 femme (écart pouvant atteindre jusqu'à 10 pour 1 en contexte clinique, selon Attwood, 2003b), les possibilités d'échange avec l'autre sexe demeurent limitées. Plusieurs adolescents et adultes sont confrontés à cette réalité et au choix restreint de partenaires féminines. Il est alors possible de voir émerger des comportements homosexuels et masturbatoires qui résultent de contacts insatisfaisants ou du manque de contacts avec les personnes du sexe opposé. Griffiths (1999) affirme que si la disparité des sexes disparaît en faveur de l'intégration, les comportements se modifient et ressemblent à ceux observés dans la population en général. C'est pour cette raison que les contacts sociaux et les activités de loisirs doivent être encouragés. La personne qui se bâtit un réseau social aura de meilleures chances de rencontrer des gens avec qui elle partage des intérêts communs (activités, champ d'intérêt spécifique, goûts, etc.). Plusieurs hommes

Asperger se plaignent du nombre limité de femmes Asperger. Le choix de partenaires étant restreint, ils se tournent vers des femmes neurotypiques qui ne partagent pas toujours les mêmes champs d'intérêt ou préoccupations. Les enjeux sont alors nombreux. (*Voir le chapitre 6* qui porte sur les couples et le choix de partenaires.)

Les restrictions de l'environnement

Les restrictions sont fréquentes au sein des politiques d'établissements, de leur personnel et en ce qui a trait aux règles formelles et informelles qui entourent la sexualité des personnes Asperger. Ainsi, s'il n'y a pas de règles précises en vigueur qui déterminent si un comportement est acceptable ou non, l'individu reçoit de son entourage des messages contradictoires. Lorsque les interventions punitives sont fréquentes, cela réduit les possibilités d'acquérir un comportement responsable. L'équipe qui entoure l'adolescent devrait créer une atmosphère de confiance à l'égard de la sexualité en prévenant l'abus sexuel, en dispensant une éducation sexuelle et en reconnaissant la légitimité des contacts sexuels entre les individus Asperger (Griffiths, 1999). Il est primordial d'éduquer le personnel des établissements et les parents, car ils risquent de transmettre des informations erronées au sujet de la sexualité (Hingsburger, 1993). Une fois bien renseignés, ces derniers seront en mesure de mieux guider les adolescents. Si l'entourage se montre ouvert à la discussion, il y a plus de chances que la personne Asperger développe un lien de confiance suffisant pour questionner ou dévoiler une certaine partie de son intimité. La prévention de l'abus sexuel s'inscrit dans la perspective d'une communication ouverte et accueillante. Plus la communication entre la personne Asperger et son entourage sera efficace, moins il y aura de risques que sa sexualité se manifeste de façon inappropriée.

L'intimité

L'intimité désigne la possibilité de se retrouver seul ou avec un partenaire, qu'il soit affectif ou sexuel. Chez les adolescents autistes ou Asperger, ces occasions sont peu nombreuses (Griffiths, 1999). Par ailleurs, les moments d'intimité ne sont pas uniquement consacrés aux contacts sexuels : il est aussi possible d'accroître, dans ces circonstances, les expériences interpersonnelles. L'objectif est de leur donner le temps et l'occasion de développer une relation intime avec une autre personne.

L'adolescence est souvent difficile, car elle entraîne des changements hormonaux, le désir d'indépendance et celui d'explorer l'environnement. Cette réalité doit être prise en considération, car les adolescents Asperger vivent également ce cheminement. Pour certains d'entre eux, la recherche de l'intimité n'est pas jugée nécessaire ou importante. L'évitement des contacts intimes domine, et ceux-ci sont remplacés par quelques rapprochements physiques, ce qui amène une frustration pour le partenaire. Dans d'autres cas, la sexualité prend la forme d'une obsession. Les comportements sont alors uniquement axés sur la recherche d'une routine ou d'un répertoire sexuel anticipé, au détriment de la diversité et de l'intimité (Aston, 2001). La notion d'intimité est traitée au chapitre 3 qui donne une définition complète et des pistes d'intervention pour les personnes qui désirent développer certaines habiletés.

Le répertoire des comportements sexuels

Très peu de recherches portent sur les comportements sexuels des personnes Asperger. Hellemans et Deboutte (2002) rapportent les travaux d'Haracopos et Pedersen (1992), qui soulignent le désir réel des personnes autistes de haut niveau de rencontrer un partenaire et de vivre des relations interpersonnelles. De plus, la majorité d'entre elles démontrent un intérêt pour l'intimité sexuelle. Ce désir d'intimité se bute aux difficultés liées aux habiletés sociales et de communication ; il en résulte des frustrations chez les individus et leurs partenaires. Bien que le niveau moyen d'expérience sexuelle de ces personnes soit inférieur à celui de la population en général (Hénault, Forget et Giroux, 2003), il n'en demeure pas moins qu'elles s'adonnent à certaines pratiques sexuelles comme la masturbation.

En effet, selon DeMyer (1979), Haracopos et Pedersen (1999) ainsi que Kempton (1993), 63 à 97 % des personnes autistes ont des activités masturbatoires. Gray, Ruble et Dalrymple (1996) rapportent que 60 % des adolescents autistes et Asperger ont des comportements sexuels et que 35 % d'entre eux présentent des comportements sexuels problématiques. De leur côté, Ousley et Mesibov (1991) ont étudié le comportement de 21 individus autistes qui ne présentent aucun retard intellectuel. Ils ont observé que ces hommes manifestent un plus grand intérêt pour la sexualité que les femmes. Cet intérêt se bute à la difficulté d'intégrer les règles sociales, d'interpréter les émotions et le langage explicite de même qu'au peu d'expériences sexuelles vécues. Les hommes s'engagent surtout dans la masturbation mais vivent des frustrations, car l'intérêt sexuel envers les femmes demeure présent. Chez les personnes qui ne recherchent pas le contact physique et sexuel avec une autre personne, le comportement masturbatoire serait pratiqué de façon plus fréquente (Aston, 2001).

Dans une recherche impliquant 89 adultes autistes de divers niveaux de développement, Van Bourgondien, Reichle et Palmer (1997) ont constaté que 65 % d'entre eux pratiquaient la masturbation. Ces résultats sont confirmés par Haracopos et Pedersen (1999) qui obtiennent sensiblement les mêmes résultats, soit 67 % de pratiques masturbatoires dans un groupe de 81 individus autistes (avec une minorité de personnes autistes de haut niveau de développement).

Le comportement masturbatoire est celui qui est le plus souvent manifesté par les adolescents autistes et Asperger. La découverte de son propre corps et des sensations plaisantes qui l'accompagnent est largement répandue. L'autostimulation est un comportement sain s'il s'exprime à l'intérieur d'un certain cadre. Toutefois, on rencontre chez certains individus des problèmes de comportement liés à cette pratique. Hellemans et Deboutte (2002) rapportent les recherches de Wing, DeMyer et Gillberg qui soutiennent que la masturbation en public est le comportement inapproprié le plus fréquent chez les individus autistes.

La masturbation peut prendre la forme d'une compulsion sexuelle ou encore d'une distraction comme une autre. Certains individus obtiennent un plaisir si intense qu'ils cherchent constamment à le reproduire afin de se distraire. Lorsque le niveau de stimulation n'est pas suffisant (à l'école, au travail, dans les temps libres), ils ont recours à ce comportement. Les adolescents en général se masturbent une à cinq fois par jour. Cette fréquence élevée est le résultat de plusieurs facteurs. La poussée hormonale (testostérone et œstrogène) qui se produit à cette période du développement provoque une augmentation de la libido (désir sexuel). De plus, le plaisir physiologique et l'orgasme qui accompagnent le comportement masturbatoire renforcent ce dernier.

Par ailleurs, même si la découverte de la masturbation se fait naturellement, il arrive que l'adolescent ait besoin d'information, de soutien et d'accompagnement éducatif. La gêne, la honte ou la culpabilité peuvent l'empêcher de s'épanouir. Les messages concernant l'autostimulation peuvent être contradictoires. D'une part, le geste est dénigré et perçu comme malsain (avec tous les préjugés que cela comporte). D'autre part, on reconnaît qu'il est sain, naturel et même souhaitable de découvrir son propre corps afin d'explorer les sensations et le bien-être que la masturbation procure. Selon Hingsburger (1995b), certains comportements ou attitudes font en sorte que la masturbation est inappropriée ou problématique :

- L'individu se masturbe sans cesse ;
- La masturbation n'aboutit pas à l'éjaculation ;
- L'individu se masturbe mais il croit que c'est mal, sale, immoral, dangereux, dégoûtant, etc. ;
- Il se blesse en se masturbant (le geste de stimulation est trop intense) ;
- La masturbation est pratiquée dans des endroits publics ;
- L'individu a peur de la masturbation.

L'adolescent ou l'adulte peut présenter ces derniers comportements ou avoir de la difficulté à forger sa propre opinion sur le sujet. Blum et Blum (1981 ; cité dans Hingsburger, 1995b) proposent cinq objectifs d'apprentissage de la masturbation :

- Enseigner que la masturbation est un geste naturel et sain ;
- Faire connaître les endroits et les moments appropriés pour effectuer ce geste (notions de *privé* et de *public*) ;
- Démystifier les préjugés et les effets qu'ils provoquent ;
- Introduire l'idée que les fantaisies sexuelles peuvent accompagner la masturbation ;
- Faire connaître les stimulations appropriées qui permettent d'avoir du plaisir.

Ce type d'apprentissage permet à l'individu d'exprimer ses émotions et, le cas échéant, ses difficultés liées au geste d'autostimulation. Parfois, l'individu se stimule de façon inadéquate ou utilise des objets qui peuvent endommager ses organes génitaux. Il est alors souhaitable de recourir à un enseignement plus concret. Pour les hommes, le guide et la vidéocassette *Hand Made Love* (Hingsburger, 1995b) sont des outils pédagogiques intéressants. Le guide présente l'information sur la santé sexuelle, les émotions, les peurs et les mythes qui entourent la masturbation. Quant à la vidéocassette, son premier objectif consiste à donner l'information pertinente sur la sexualité masculine (sur le plan du comportement et de son expression). Le deuxième objectif vise à créer une atmosphère accueillante et respectueuse à l'égard de l'expression de la sexualité, pour ensuite offrir de l'information sur la physiologie des organes génitaux. Finalement, la nature privée du geste est expliquée.

Au cours de leurs comportements masturbatoires, certains adolescents ne parviennent pas à éjaculer. Le manque de stimulation, l'hypersensibilité ou l'hyposensibilité tactile ou encore la maladresse du geste peuvent empêcher l'atteinte de l'orgasme (l'aboutissement du plaisir sexuel). L'excitation sexuelle atteint alors la phase de *plateau* sans que la décharge orgasmique permette de retourner à la phase initiale de la réponse sexuelle. Le diagramme du cycle de la réponse sexuelle (Masters et Johnson, 1968) indique la progression de l'excitation. (La figure est présentée dans l'atelier n° 4 du programme d'éducation sociosexuelle.)

Certains adolescents éprouvent des difficultés liées au geste ou à la séquence de la masturbation. Comme ce geste est intime et que la majorité des parents sont mal à l'aise pour aborder le sujet, un « mode d'emploi » comme celui qui suit (*voir page 23*) peut être présenté aux adolescents.

Si l'individu ne parvient pas à éjaculer lors des masturbations, il peut ressentir une douleur au niveau des testicules, du bas-ventre (épididymite, soit l'inflammation du canal de l'épididyme), de l'anxiété ou de la frustration. La vidéocassette peut s'avérer utile pour enseigner le geste qui permet une stimulation adéquate. L'enseignement valorise le respect de soi et l'intimité nécessaire au geste. À tout moment, il est possible d'arrêter la cassette si l'individu se sent mal à l'aise. L'acteur explique les étapes importantes (l'intimité du lieu,

Mode d'emploi pour la masturbation masculine

Avant de débuter, tu dois t'assurer d'être dans un endroit privé (comme ta chambre ou la salle de bain de ta demeure), que la porte est fermée et que tu es seul. La masturbation (caresser ton pénis) est un geste naturel et sans danger. La plupart des adolescents se masturbent. Cela te permet de découvrir ton corps, en plus de ressentir du plaisir.

Voici les étapes qui te permettront de bien vivre la masturbation.

1. Avant de commencer, assure-toi d'avoir les mains propres.
2. Tu caresses ton pénis avec ta main, du haut vers le bas (va-et-vient).
3. Si tu ressens trop de friction, tu peux utiliser un gel lubrifiant qui fera glisser ta main sur ton pénis (gel à base d'eau comme le K-Y™ : ne jamais utiliser de la gelée de pétrole telle que la Vaseline™).
4. Tu continues de caresser ton pénis durant 5 à 7 minutes ou un peu plus, comme tu en as envie.
5. Tu ressentiras de plus en plus de sensations, jusqu'à ce qu'un liquide blanc soit expulsé de ton pénis (par l'urètre). Il s'agit du sperme : c'est normal et c'est le signe que tu as terminé la masturbation.
6. Tu prends un mouchoir en papier ou une serviette mouillée et tu essuies ton pénis.

   Il peut arriver que l'éjaculation ne se produise pas (le liquide blanc ne sort pas de ton pénis) : c'est normal aussi.
7. Lave tes mains de nouveau.

Source : Isabelle Hénault, 2004

le temps nécessaire, le rythme, le toucher et les sensations corporelles). Aucunement exhibitionniste, cet outil d'enseignement s'adresse tant aux adolescents qu'aux adultes.

Pour les femmes, le guide d'éducation à la masturbation et la vidéocassette qui l'accompagne s'intitulent *Finger Tips* (Hingsburger et Haar, 2000). Les objectifs d'apprentissage sont les mêmes que pour les hommes, et le document visuel est un outil qui possède l'avantage de démystifier la masturbation féminine. Très peu d'ouvrages abordent l'autostimulation féminine, car de nombreux tabous entourent ce geste. Selon Masters et Johnson (1988 ; cité dans Haracopos et Pedersen, 1999), 75 à 93 % des femmes en général (adolescentes, jeunes femmes et femmes adultes) ont des pratiques masturbatoires régulières, alors que ce pourcentage se situe entre 40 et 80 % chez les jeunes femmes autistes. Les préjugés comme la sexualité débridée, le manque de contrôle de soi et la nymphomanie sont parfois évoqués. Pourtant, la découverte du corps, le plaisir et la santé sexuelle sont les éléments suggérés par le *National Information Center for Children and Youth with Disabilities* des États-Unis :

« La masturbation peut être un moyen approprié de favoriser la découverte de son corps et de la sexualité [...] cependant, ce comportement peut devenir problématique s'il est pratiqué dans un endroit inadéquat (endroit public) ou accompagné de forts sentiments de culpabilité ou de peur. »

Source : *Sex Information and Education Council of the U.S.*, 1991, p. 3. (Traduction libre).

Le livre de Betty Dodson, *Sex for One : The Joy of Selfloving* (1996), permet également d'aborder la masturbation féminine dans l'optique de l'intimité, de la découverte et du plaisir. La même auteure a publié en 1974 un recueil de dessins et de poèmes dans *Liberating Masturbation*. Ces deux ouvrages complètent bien la vidéocassette, car ils permettent d'ouvrir la discussion et de réfléchir sur l'image corporelle de la femme.

Comme dans le cas des adolescents, certaines jeunes filles ont besoin d'explications concrètes afin de faciliter leur comportement masturbatoire. Voici un exemple de « mode d'emploi » pratique (*voir page 25*).

Les autres comportements sexuels

Dans leur étude, Van Bourgondien, Reichle et Palmer (1997) font aussi état des différentes activités sexuelles des personnes autistes, comme les baisers profonds, les caresses et les contacts génitaux. Ils notent que 34 % de ces personnes expérimentent différents contacts sexuels avec un partenaire. Konstantareas et Lunsky (1997) ont effectué une recherche similaire portant sur 15 adolescents et adultes autistes de différents niveaux de développement. Ces auteurs concluent que près de 26 % des sujets ont des rapports sexuels et que 46 % d'entre eux s'adonnent à des caresses sexuelles et aux baisers profonds. Dans la population en général, de 40 à 80 % des adolescents ont des comportements sexuels (Masters et Johnson, 1988, cité dans Haracopos et Pedersen, 1999). Les résultats de ces quatre études rapportent que 26 à 67 % des individus autistes ont également des conduites sexuelles, ce qui confirme l'existence d'une vie sexuelle active parmi cette population.

Hellemans et Deboutte (2002) présentent une recension des études sur les comportements sexuels de la population autiste. De façon générale, la fréquence des comportements sexuels des femmes autistes est inférieure à celle des hommes. Les tabous ou préjugés de l'entourage, la disparité des sexes et le manque d'occasions sont parmi les facteurs qui expliquent l'expérience sexuelle restreinte des femmes. De 6 à 100 % des femmes autistes donnent ou

Mode d'emploi pour la masturbation féminine

Avant de débuter, tu dois t'assurer d'être dans un endroit privé (comme ta chambre ou la salle de bain de ta demeure), que la porte est fermée et que tu es seule. La masturbation (caresser ta vulve et ton clitoris) est un geste naturel et sans danger. La plupart des adolescentes se masturbent. Cela te permet de découvrir ton corps, en plus de ressentir du plaisir.

Voici les étapes qui te permettront de bien vivre la masturbation.

1. Avant de commencer, assure-toi d'avoir les mains propres.
2. Tu caresses ta vulve et ton clitoris avec tes doigts (ou avec une couverture, un oreiller) en faisant des mouvements délicats.
3. Si tu ressens une trop grande friction, tu peux utiliser un gel lubrifiant qui fera glisser tes doigts sur ta vulve et ton clitoris (gel à base d'eau comme le K-Y™ : ne jamais utiliser de la gelée de pétrole telle que la Vaseline™).
4. Tu continues de caresser ta vulve jusqu'à ce que tu sois satisfaite du plaisir que tu ressens.

   Il se peut que tu ressentes un plaisir intense de courte durée : il s'agit d'un orgasme. Certaines femmes en ont ; d'autres non. L'orgasme n'accompagne pas toutes les masturbations.
5. Quand tu as terminé, prends un mouchoir en papier ou une serviette mouillée et essuie ta vulve.
6. Lave tes mains de nouveau.

Source : Isabelle Hénault, 2004

reçoivent des caresses alors que 2 à 67 % d'entre elles ont déjà embrassé un partenaire. De 5 à 47 % des femmes autistes s'adonnent aux caresses sexuelles. Enfin, 4 à 17 % ont eu au moins une relation sexuelle avec partenaire.

Chez les hommes autistes, les caresses sont pratiquées dans une proportion de 18 à 100 %, alors que 2 à 100 % d'entre eux pratiquent les baisers et que 18 à 39 % donnent ou reçoivent des touchers sexuels. Entre 1 et 33 % des hommes autistes ont eu au moins une relation sexuelle complète. Ces données ne sont pas particulières aux individus Asperger, mais elles permettent de dresser un portrait général des conduites sexuelles des individus autistes en général. (Le profil sexuel de 28 individus est abordé au chapitre 4 qui explore les comportements et l'expérience sexuelle, les préférences, la fantasmatique et l'image corporelle.)

En résumé, dès les premiers signes de la puberté, le jeune adolescent et la jeune adolescente entament le processus de maturation sexuelle. Les changements physiologiques, l'estime de soi et les contacts sociaux prennent une nouvelle dimension. Le désir d'explorer et d'expérimenter la sexualité peut entraîner certaines difficultés. L'ouverture à la sexualité et la communication sont les meilleurs alliés. Différents outils d'intervention ont été proposés. (Les lecteurs trouveront une liste de ressources complémentaires dans la partie des références.)

Chapitre 2

Les comportements sexuels inappropriés : compréhension et intervention

Les conduites sexuelles doivent s'adapter aux contextes, ce qui inclut les lieux et les individus avec qui elles sont pratiquées. Les personnes Asperger ont parfois de la difficulté à juger du contexte dans lequel un comportement s'exprime. De plus, de nombreux facteurs contribuent au développement et au maintien des conduites inadéquates. Le présent chapitre fait état de ces facteurs, en plus d'explorer différents comportements comme l'intérêt particulier pour la sexualité, l'obsession et la compulsion sexuelles, l'autostimulation excessive, l'agression sexuelle et, enfin, les actes criminels.

Les facteurs précipitants et de maintien

Le quotidien des personnes Asperger est chargé de malentendus, ce qui peut entraîner l'apparition de différents comportements inappropriés. Le contexte représente le moment où se déroule l'action. Il varie en fonction de plusieurs facteurs tels que le lieu, l'environnement et l'individu en cause, et aucune règle ne dicte son contenu. Il est donc difficile de prévoir ce qui peut l'influencer et comment se constitue la chaîne des événements. De façon générale, la flexibilité et l'adaptation, définies comme la capacité de modifier ses actions et d'agir avec une certaine souplesse, sont des atouts qui permettent d'ajuster les comportements aux situations.

La personne Asperger a de la difficulté à improviser ou à s'adapter aux changements, ce qui provoque la majorité des comportements inadéquats. Par exemple, un adulte Asperger participe à une fête de rue où musiciens et artistes donnent un spectacle. Il s'exclame tout haut : « Cette chanteuse correspond tout à fait à mon fantasme. » Il ne prend pas en considération le contexte inapproprié pour exprimer un tel commentaire qui, par ailleurs, aurait été plus acceptable dans le cadre d'une discussion intime (avec un ami, par exemple).

D'un autre côté, une attitude trop rigide peut également entraîner un malentendu. Par exemple, une femme refuse de répondre aux questions de son médecin, qu'elle juge indiscrètes. Lorsque celui-ci s'informe de son hygiène de vie et de sa sexualité afin de compléter un bilan de santé, elle lui répond: « Je ne discute pas de cela avec un homme que je connais à peine. » Par ailleurs, dans les relations de couple, le contexte d'intimité cause parfois des disputes car, ici encore, les notions d'intimité et de romantisme sont vécues différemment par chacun. Ainsi, une balade près d'un lac peut être synonyme de romantisme et de plaisir pour le partenaire neurotypique (non Asperger) alors que le partenaire Asperger y voit plutôt une belle occasion d'étudier la qualité de l'eau, la faune et la flore sauvage, et il se fait une joie d'expliquer l'écosystème entourant le plan d'eau ! Le moment « romantique » perd sa valeur au profit d'un cours d'écologie. La notion de contexte est floue, et c'est pour cela que les personnes Asperger manquent parfois de repères pour en décoder les éléments pertinents.

Il arrive que les comportements inadéquats soient le résultat de facteurs précipitants, c'est-à-dire qui déclenchent ou provoquent ces comportements. Dans ce cas, la personne n'agit pas avec l'intention de provoquer ou de choquer, mais plutôt en réaction à un facteur déclencheur. Par exemple, un changement dans la routine peut déstabiliser un individu Asperger au point de provoquer une crise. Dans d'autres cas, l'environnement (comme les bruits, la foule, les demandes excessives, l'incompréhension d'une situation, etc.) devient un facteur de stress, ce qui peut occasionner un comportement de retrait ou d'agression de la part de l'individu.

Plusieurs auteurs rapportent des données relatives aux difficultés sexuelles auxquelles sont confrontées les personnes présentant un trouble du développement ou le syndrome d'Asperger (Deslauriers, 1978, cité dans Roy, 1996 ; Gillberg, 1984 ; Hellemans et Deboutte, 2002 ; Kempton, 1993 ; Mesibov, 1984 et Mortlock, 1989). Ainsi, ces dernières expriment leurs frustrations par des comportements inappropriés et agressifs. Elles ont de la difficulté à interpréter leurs émotions et celles des autres, et les relations interpersonnelles complexes semblent leur échapper. Elles tentent d'imiter des comportements sociaux mais n'y parviennent pas toujours. Elles ressentent la présence de pulsions sexuelles comme tous, mais certaines personnes Asperger sont limitées à éprouver des sensations sexuelles fugaces ou une hypersensibilité sensorielle. Ces personnes peuvent être hyposensibles ou hypersensibles, selon l'acuité de leurs sens: ouïe, odorat, toucher, vue, olfaction, kinésie, proprioception et équilibre (Myles et collab., 2000).

L'**hypersensibilité** se traduit par la sensibilité extrême d'un ou de plusieurs sens. En ce qui concerne la sexualité, cinq sens ont une importance majeure: il s'agit de l'ouïe, de l'odorat, du toucher, du goût et de la vue. Chez les personnes Asperger, l'hypersensibilité auditive et tactile est très présente et peut être associée à un désordre neurologique (Asperweb France, 2000). Par exemple, la musique ambiante peut être perçue comme stridente et forte alors que le volume est au plus bas. De la même façon, un toucher qui effleure la peau peut provoquer la même douleur que celle ressentie au contact d'un objet tranchant. Sur le plan de la sexualité, une hypersensibilité peut entraver l'établissement d'une relation intime, car les diverses stimulations provoquent alors une sensation désagréable, voire une douleur. L'évitement de tout contact peut augmenter le sentiment d'isolement et amplifier les symptômes dépressifs. La sensibilité tactile est un réflexe qui a deux fonctions : la protection et la discrimination (ou la différenciation). La transition vers la discrimination s'effectue habituellement chez les bébés, qui, très tôt dans leur développement, utilisent leurs sens afin d'explorer l'environnement. Dans le cas des individus Asperger, la fonction de protection demeure principale, ce qui entraîne une hypersensibilité défensive. C'est pour cela que l'effleurement de la peau ou le contact avec certains tissus entraînent une réponse douloureuse. Par contre, la pression cutanée est souvent perçue comme calmante (Aquilla, 2003).

Chez certaines femmes Asperger, la pénétration vaginale est vécue douloureusement en raison d'une hypersensibilité tactile. Cette douleur est comparable à celle ressentie par les femmes qui développent le syndrome de la vestibulite vulvaire (SVV). Les principaux symptômes sont une sensation de brûlure ou d'échauffement de l'entrée vaginale. Le traitement du SVV comporte certains éléments préventifs qui visent à rétablir l'équilibre de la flore vaginale en vue d'éviter les irritations ou les infections chez les femmes qui démontrent une telle sensibilité. Voici quelques trucs pratiques qui permettent de diminuer l'irritation vaginale :

- Utiliser une petite quantité de détergent pour laver les sous-vêtements et éviter les assouplisseurs pour tissus ;
- Porter des sous-vêtements de coton blanc ; éviter les tissus synthétiques (Lycra™, Spandex™) ;
- Porter des pantalons amples (éviter de porter un pantalon trop serré dans la zone vulvaire : par exemple, un jeans ou des bas-culottes) ;
- Enlever rapidement les vêtements mouillés (maillot de bain, vêtement d'exercice) ;
- Utiliser des produits non parfumés (bain moussant, serviettes hygiéniques ou tampons, déodorant) ;
- Éviter les douches vaginales ;
- Utiliser de l'eau et un savon doux (Dove™, Ivory™ ou un savon à base de glycérine) ;
- Utiliser un lubrifiant à base d'eau comme le K-Y™ ou Astroglide™ ;

- Appliquer au besoin un analgésique topique comme Xylocaine™ ou EMLA™, qui peut diminuer les sensations vaginales désagréables.

  Sources : www.vulvarhealth et www.nva.org.

D'autre part, l'**hyposensibilité** se définit comme une réponse sensorielle faible à des stimuli ressentis comme étant fugaces. Dans ce cas, une surexposition aux stimuli est nécessaire afin que l'individu puisse les ressentir en totalité. Aquilla (2003) explique ces réactions par un lent processus du transfert des sensations entre les terminaisons nerveuses et le cerveau. Cette hyposensibilité augmente la probabilité d'apparition de conduites sexuelles inappropriées. Ainsi, une personne peut recourir davantage à la masturbation afin de ressentir du plaisir sexuel. Les caresses génitales sont alors plus intenses et plus nombreuses. Ce comportement peut être interprété comme une compulsion ou une obsession sexuelle alors qu'il s'agit en fait d'un problème purement sensoriel. Myles et collab. (2000) font état de l'impact des sensibilités par rapport aux relations interpersonnelles et aux émotions des personnes Asperger. Ils proposent différentes interprétations des réactions sensorielles ainsi que des pistes d'intervention adaptées aux différents sens. Bien que l'aspect sexuel n'y soit pas abordé, leur ouvrage est une ressource utile et pratique pour les personnes Asperger.

L'exercice du programme d'éducation sexuelle intitulé « Les cinq sens » (*voir l'atelier n° 5*) permet d'établir le profil sensoriel des personnes Asperger. Cette activité prend la forme d'un jeu qui permet d'évaluer les réponses sensorielles à des stimuli visuels, auditifs, cutanés, gustatifs et olfactifs. Une fois le profil établi, la réflexion porte sur les conséquences des réponses sensorielles et les comportements sexuels de l'individu.

L'**histoire médicale** est une importante source d'information en ce qui a trait aux conduites sexuelles inappropriées. Par exemple, une infection aux organes génitaux ou une infection urinaire peuvent provoquer des picotements et une inflammation de la région pelvienne. Si la personne Asperger touche sans cesse ses organes génitaux, c'est peut-être parce qu'elle ressent une démangeaison. Il faut être prudent et ne pas confondre la stimulation sexuelle avec le soulagement cutané (Griffiths, 1999). Les facteurs organiques seraient en effet responsables de 25 % des troubles du comportement (Laxer et Tréhin, 2001).

La médication peut également affecter le fonctionnement sexuel ou engendrer des effets secondaires. Il n'est pas rare de constater que les personnes Asperger consomment plus d'un médicament à la fois, ce qui peut provoquer un effet synergique. L'interaction de deux médicaments peut ainsi créer une nouvelle difficulté. Par exemple, le *Mellaril,* qui est un tranquillisant et un antipsychotique, augmente la possibilité de développer un trouble érectile ou un trouble de l'éjaculation (éjaculation rétrograde : le sperme se retrouve dans la vessie) comme effets indésirables (Alarie et Villeneuve, 1992). Malheureusement, certains médicaments sont prescrits sans que les effets secondaires sur la sexualité soient expliqués au patient. Par ailleurs, les effets secondaires ne sont pas les mêmes pour toutes les personnes Asperger ; cela dépend en grande partie du métabolisme de l'individu. Le site *Virtual Hospital* (www.vh.org) offre une description des maladies, des infections et des effets secondaires liés à la médication. Cette ressource permet d'obtenir rapidement et gratuitement des renseignements généraux sur ces sujets.

Voici un tableau qui détaille les effets secondaires de certains médicaments. Il convient de préciser que chaque individu réagit différemment à la médication. En outre, plus la dose est élevée, plus les effets secondaires risquent d'être importants. Ces effets ne sont pas nécessairement immédiats, ils peuvent apparaître graduellement après quelques semaines. Dans tous les cas, si une personne développe une dysfonction sexuelle secondaire, il est important de consulter un médecin ou un psychiatre afin de l'en informer. Deux solutions sont possibles : diminuer la dose ou changer de médicament pour un autre du même groupe. Lorsque les effets recherchés sont plus importants que les effets secondaires (indésirables), il est important de maintenir le traitement. Il ne faut **jamais cesser** de prendre un médicament **ni modifier une dose** avant d'avoir consulté un médecin.

Certains effets sont directement liés à la fonction sexuelle, alors que d'autres sont liés à l'aspect social. Par exemple, l'augmentation des tics ou des mouvements dyskinétiques accroît les comportements d'isolement. Comme ces mouvements sont automatiques, l'individu ne peut les contrôler. Voici les effets secondaires par ordre d'importance, du plus courant au moins probable.

Effets secondaires des médicaments sur la sexualité et la sociabilité

Antidépresseurs

*Luvox, Paxil**, Effexor, Zoloft, SSRI'S* (recapteur de la sérotonine) :

- Diminution de la libido (désir sexuel) ;
- Dysfonction érectile (perte de rigidité pénienne) ;
- Éjaculation retardée (*Luvox* seulement, si la dose est de plus de 150 mg par jour).

* Le *paxil* est contre-indiqué pour les jeunes de 18 ans et moins en raison du risque accru de manifestations liées au suicide.

Antipsychotiques (neuroleptiques)

Mellaril, Risperdal, Zyprexa

Mellaril

- Diminution de la libido (désir sexuel);
- Dysfonction érectile (dans 44 % des cas), éjaculation douloureuse ou rétrograde;
- Gain de poids, problèmes de sommeil, aménorrhée;
- Diabète de type II.

Risperdal

- Dysfonction érectile;
- Trouble de l'éjaculation / orgasme;
- Agitation / anxiété;

Le *Risperdal* peut créer des mouvements dyskinétiques et involontaires (à long terme, selon la dose et s'il y a utilisation concomitante d'un autre antipsychotique), de l'anxiété, de l'agitation et de l'insomnie.

Zyprexa

- Des symptômes comparables à ceux de la maladie d'Alzheimer peuvent survenir.

Anxiolitiques (anti-anxiété)

Buspar, Rivotril, Ativan

- Augmentation ou baisse de la libido (*Buspar* seulement).

Buspar, Rivotril

- 50 % somnolence, 25 % troubles du comportement.

Ativan

- L'*Ativan* sert à traiter l'anxiété, la nervosité ou la tension (60-90 min après la prise du médicament pour un effet maximal). La somnolence est le principal effet secondaire.

Déficit de l'attention avec ou sans hyperactivité

Ritalin

- Peut augmenter les tics déjà présents.

Sources : Santé Canada et GlaxoSmithKline Inc., juillet 2003, et Association pharmaceutique canadienne, 1994, cités sur le site www.autisme.qc.ca.

Alarie et Villeneuve, 1992 ; Paradis et Lafond, 1990 ; *Virtual Hospital*, 2003.

L'histoire comportementale

Chez les personnes Asperger, il y a également présence de conduites sexuelles inappropriées : paraphilies, déviances, comportements agressifs, autostimulation excessive et compulsions sexuelles. Hingsburger, Quinsey et Griffiths (1989) proposent des modèles explicatifs de ces comportements sexuels. L'histoire comportementale contribue au développement de conduites sexuelles inappropriées. Griffiths (1999) rapporte le cas d'un jeune homme atteint d'un trouble du développement qui était puni chaque fois qu'il tentait d'établir un contact avec une femme, et ce, même lorsque sa tentative était appropriée. Il a forcé un contact sexuel avec une femme non consentante. Le geste a été rapide. Il croyait ainsi courir moins de risques de se faire réprimander. Comprendre la fonction de son comportement permet de suivre la séquence exécutée. Pour cet homme, la stratégie employée était adéquate, compte tenu des circonstances dans lesquelles le comportement a été exprimé.

Lorsque l'histoire comportementale est constamment soumise à la répression sociale, une conduite inappropriée devient la seule possibilité d'action. Si aucun contact sexuel n'est permis, il est possible de voir apparaître un comportement problématique, car l'interdit devient attrayant (Griffiths,1999 ; Hingsburger,1993).

Le **modelage** et l'**imitation** peuvent favoriser des conduites inappropriées. Lorsqu'une routine ou des rituels se produisent en dehors des moments où ils sont habituellement pratiqués, cela témoigne du manque de discrimination de l'individu Asperger à l'égard de certaines de ses conduites. Griffiths (1999) expose un exemple de comportement d'exhibition que l'on retrouve chez des personnes présentant un trouble envahissant du développement (TED). Il s'agit d'une jeune femme qui laisse la porte ouverte lorsqu'elle se rend dans les toilettes de l'école. Une fois qu'elle a terminé, elle commence à se revêtir dans le corridor qui mène à la salle de classe. Que se passe-t-il ? Selon Griffiths, il faut effectuer une analyse fonctionnelle de ce comportement inapproprié afin d'établir des rapprochements avec les comportements quotidiens de cette jeune femme. Il ressort que cette jeune femme ne fait pas de discrimination entre ce qui doit être fait en privé et ce qui peut être fait en public. Cette mauvaise interprétation risque d'augmenter la vulnérabilité des personnes affectées d'un TED (*National Information Center for Children and Youth with Disabilities,* 1992). Les notions de privé et de public sont souvent mal intégrées ou incomprises. Pour leur part, Gray, Ruble et Dalrymple (1996) affirment que certaines personnes n'ont jamais appris à protéger leur intimité en ce qui regarde leur hygiène personnelle. Habituées à recevoir des soins provenant d'autres personnes, elles ne discriminent ni les moments, ni les endroits, ni les personnes devant qui elles peuvent s'exposer.

Le répertoire comportemental Asperger recense de nombreux rituels et routines qui permettent de sécuriser la personne atteinte du syndrome d'Asperger. Ces comportements peuvent devenir problématiques lors des contacts sociaux. Les habiletés sociales étant peu développées, les relations interpersonnelles sont plus difficiles. La personne a tendance à imiter les comportements de ses pairs, et ce, même si elle n'est pas toujours en mesure d'en décoder la complexité. Ainsi, elle peut reproduire un comportement dont elle a été témoin sans tenir compte du contexte. Par exemple, un individu qui a vu un couple s'embrasser dans la rue pourrait tenter à son tour d'embrasser la première fille sur son passage. Il peut également reproduire un attouchement dont il a été victime dans le passé. Certains parents s'inquiètent des comportements affectueux de leur enfant. Une mère raconte que son fils David avait l'habitude d'embrasser les femmes blondes sur la joue. Ce comportement est accepté chez un enfant de six ans, mais qu'en est-il de l'adolescent ou de l'adulte qui prolonge cette habitude ? Afin de prévenir l'expansion de ces comportements, cette mère a limité et restructuré les contacts avec les femmes blondes. Comme il avait de la difficulté à changer son comportement, sa mère a utilisé des renforçateurs (crème glacée, accès à l'ordinateur, achats pour sa collection de voitures miniatures) chaque fois qu'il respectait la consigne.

Il est important de baliser les comportements affectueux des jeunes Asperger afin qu'ils se développent de façon appropriée à l'âge adulte. En explorant les comportements qui s'exécutent en privé, en public, ainsi que la notion d'intimité, les jeunes peuvent agir en accord avec les règles implicites des comportements sociaux. Si ces règles ne sont pas expliquées, il est fort probable qu'elles seront transgressées et que l'individu se retrouvera dans une situation inconfortable ou abusive. C'est lorsque le contexte n'est pas pris en compte qu'un comportement sexuel inadapté risque de survenir.

En ce qui a trait au **choix** du partenaire, celui des personnes Asperger est plutôt restreint. Le ratio de quatre à cinq hommes pour une femme est un premier élément qui réduit ce choix. De plus, plusieurs individus Asperger sont isolés, ils ont peu d'amis. Ils tentent d'entrer en relation avec les autres, mais les difficultés de communication, la peur du rejet et l'anxiété face aux relations interpersonnelles limitent leur cercle social. Par ailleurs, ils peuvent développer un sentiment amoureux envers les intervenants qu'ils côtoient régulièrement. Cette confusion, affirme Griffiths (1999), est normale, car ce sont là les gens qu'ils fréquentent et qui leur prodiguent des soins. Les personnes Asperger entretiennent des relations privilégiées avec ces intervenants et, par conséquent, une intimité et un lien d'attachement se développent. D'autre part, il est souhaitable d'encourager les personnes Asperger à établir des relations avec d'autres personnes en vue d'élargir leur cercle de connaissances. Les soirées dansantes, les activités de loisirs, les clubs d'échecs ou de collectionneurs sont des endroits qui favorisent les rencontres. Les personnes Asperger ont avantage à établir des liens avec d'autres individus de la communauté ou de regroupements divers. Même si, de façon générale, elles démontrent une résistance, l'objectif est de briser l'isolement en favorisant des amitiés et des occasions de rencontres intéressantes. L'agrandissement du cercle des relations sociales ne peut qu'augmenter les chances de rencontrer un partenaire.

À l'adolescence, l'**imaginaire** abonde en images et en scénarios de tous genres. Ainsi, l'adolescent peut se dire amoureux d'une actrice, d'une chanteuse populaire ou d'une personnalité connue. Cette relation imaginaire lui permet d'exprimer librement ses sentiments, sans crainte du rejet. De plus, il orchestre ses fantaisies comme bon lui semble, sans avoir recours aux habiletés de communication ou à l'aisance sociale requises dans les relations interpersonnelles. L'imaginaire occupe une place importante chez les filles affectées du syndrome d'Asperger, surtout sur le plan des relations amicales (Attwood, 2004a). Cette particularité typique de l'adolescence peut aussi prendre des proportions importantes. Lorsque l'individu est envahi par son imaginaire et n'arrive pas à entrer en relation avec des gens accessibles, il risque de développer un sentiment d'échec qui peut amplifier l'affect dépressif, le sentiment d'être seul ou isolé. Ces individus ont avantage à développer un réseau d'amis afin d'accéder à des relations interpersonnelles valorisantes et concrètes qui viendront enrichir les relations imaginaires.

Les **frustrations** peuvent s'exprimer par des comportements inappropriés ou agressifs. Il arrive régulièrement que l'individu Asperger ne comprenne pas les demandes qui lui sont adressées. Il peut également s'avérer difficile pour lui de détecter ou d'exprimer ses propres changements internes (variations hormonales, émotions conflictuelles, changements d'humeur, etc.). Ces situations amènent des sentiments de confusion et de frustration, desquels découle un comportement inapproprié. Les réactions impulsives deviennent le seul moyen d'évacuer la tension intérieure. En effet, les comportements agressifs ou impulsifs sont souvent le « symptôme » d'une frustration. L'analyse fonctionnelle des comportements agressifs ou inappropriés consiste à observer ce qui s'est produit avant, pendant et après la manifestation du comportement (Laxer et Tréhin, 2001 ; Lazarus,1976). Cette analyse descriptive fournit des indices qui permettent de recréer la séquence comportementale pour en trouver le sens.

Morgane, 20 ans, recherche désespérément à entrer en contact avec les jeunes hommes de son école. Elle a tenté des rapprochements, des discussions, elle a fait des invitations, mais rien ne semble fonctionner. À la pause du dîner, elle a observé des jeunes femmes qui parlaient avec un groupe de jeunes hommes. Le lendemain, elle a imité leurs gestes et repris leurs paroles, mais sans tenir compte du contexte. Comme la discussion portait sur un tout autre sujet, les jeunes hommes lui ont fait savoir qu'elle devrait retourner en classe plutôt que de les embêter. Déçue et frustrée, Morgane a menacé de frapper les jeunes femmes et de les faire payer pour le rejet dont elle était victime.

Le sentiment de vengeance peut être dangereux, car il risque de s'exprimer en paroles ou en gestes à l'endroit d'individus qui ne sont nullement concernés. Dans ce genre de situation, il est primordial de sensibiliser l'individu Asperger aux conséquences des paroles ou des gestes d'agressivité. Une plainte pourrait être déposée contre la personne Asperger, entraînant du coup plusieurs complications. En outre, lorsque les frustrations s'expriment au moyen de comportements agressifs ou inappropriés, les gestes peuvent être retournés contre la personne elle-même. L'automutilation peut prendre plusieurs formes : se frapper, se couper, se blesser intentionnellement, etc. Dans les moments de grande anxiété ou de rejet, l'automutilation est susceptible de survenir dans les conduites des personnes Asperger (Stoddart, 2003). Lorsque les comportements inappropriés sont orientés vers les autres, ils prennent la forme d'agressions, d'attouchements, de harcèlement, de provocation ou d'intimidation. À ce jour, aucune statistique n'indique la prévalence de ce type de comportements parmi la population autiste et Asperger, mais des auteurs (DeMyer, 1979, et Wing, 1975, dans Hellemans et Deboutte, 2002 ; Gillberg, 1983 ; Hellemans, 1996 ; et Hénault, Forget et Giroux, 2003) rapportent des cas cliniques impliquant des conduites telles que la masturbation en public, les touchers inappropriés, l'agression sexuelle et la violence physique.

Les difficultés liées à l'**interprétation des émotions** sont un facteur précipitant. Ainsi, la personne Asperger éprouve de nombreuses difficultés quand vient le temps de décoder ses propres émotions, en plus de devoir interpréter celles des autres. Les émotions qu'elle connaît se limitent habituellement aux émotions de base comme la joie, la colère ou la tristesse. Le continuum complet des émotions mérite d'être exploré afin que la personne soit en mesure d'exprimer plus clairement ce qu'elle ressent. La sexualité amène son lot d'émotions qui dépassent largement les deux ou trois émotions de base. Les subtilités de cette gamme permettent d'enrichir le rapport à l'autre. Ainsi, l'individu pourrait tirer avantage d'un répertoire d'émotions plus élaboré. Par exemple, lors d'une conversation avec un homme du groupe d'activités, une femme Asperger pouvait déceler de la joie chez lui grâce à son sourire. En fait, l'homme a dû lui expliquer qu'il était bien plus qu'heureux ; il éprouvait également du désir pour elle. Selon lui, ce désir se décelait également dans ses yeux et dans son attitude générale envers elle. L'apprentissage et le décodage des émotions sont une part importante de la sexualité. Le fait d'exprimer des émotions et d'interpréter celles des autres réduit les frustrations de même que les réactions impulsives.

Les personnes Asperger ressentent des émotions, mais elles ont de la difficulté à interpréter les signaux corporels (tremblements, battements de cœur, sueurs, etc.) et affectifs (attachement, isolement, etc.). De plus, le décodage des expressions du visage est un véritable casse-tête pour certains. Les subtilités du langage non verbal leur échappent, ce qui risque d'augmenter les malentendus.

Environ 30 % de la communication s'établit de façon verbale, tandis que 70 % s'effectue de façon non verbale, ce qui explique en partie les difficultés qu'éprouvent les individus Asperger en ce qui a trait à la communication et aux émotions. Dans certains cas, la personne a recours à son imagination ou à tout autre moyen pour exprimer ses émotions, que ce soit par l'entremise de jeux imaginaires, de dessins, de scénarios ou d'actes incongrus. Les émotions se manifestent de façon excessive, conséquence d'un répertoire peu élaboré ou d'une impulsivité. Ainsi, la tristesse peut s'exprimer par la colère ou l'agressivité. L'apprentissage d'un répertoire émotionnel étendu a pour avantage de raffiner l'expression des émotions, en plus d'en diminuer l'intensité. Voici deux exemples qui illustrent les difficultés liées à l'expression émotionnelle.

Julien a le syndrome d'Asperger, il a 45 ans et forme un couple avec Marie depuis près de 4 ans. Son ex-conjointe a obtenu la garde de leur fille, ce qui l'a rendu triste. Lors de leur première dispute, Marie lui reprochait de ne pas exprimer clairement ses émotions. Comme il lui était difficile de reconnaître les signaux corporels et affectifs liés à sa tristesse, il criait et s'enflammait rapidement. De simples malentendus se terminaient en crises et en colères. Julien ne connaissait aucun autre moyen d'exprimer ses émotions. Marie en est venue à croire qu'il était toujours en colère, quand Julien a finalement réalisé qu'il ressentait davantage de la tristesse que de la frustration liée à la séparation et à sa fille qui lui manquait.

Frédérick a 14 ans et il vient tout juste d'être diagnostiqué Asperger. Il fréquente une classe spéciale intégrée dans une école secondaire. Il a toujours agi de façon impulsive et il en est de même sur le plan de l'expression de ses émotions. Après avoir vécu une déception amoureuse, il a écrit une longue lettre dans laquelle il décrivait en détail la souffrance physique qu'il allait infliger à toutes les filles de l'école. Les détails sanglants n'étaient en aucun point rassurants pour son enseignante. Elle a contacté les parents qui ont entrepris une démarche en psychothérapie pour leur fils. Lorsque la psychothérapeute lui a demandé : « Pourquoi veux-tu t'en prendre aux filles de l'école ? », il a répondu : « Parce que je suis triste et je me sens seul. S'il n'y a plus de filles autour de moi, je serai moins préoccupé par elles. »

Sans banaliser le caractère dramatique de la situation de Frédérick et de ses réactions, il est important d'explorer les émotions de l'individu avant de tirer des conclusions. (L'apprentissage des signaux corporels et affectifs ainsi que du répertoire des émotions font l'objet de plusieurs activités dans le programme d'éducation sexuelle en dernière partie de cet ouvrage.)

Les **relations interpersonnelles** complexes sont souvent incomprises. Lors de conversations ou d'interactions entre plusieurs personnes, l'individu Asperger a de la difficulté à décoder tous les messages émis en même temps. Les mots et les phrases à double sens créent chez lui de la confusion, ce qui le laisse souvent totalement perplexe. Le langage non verbal, qui agit comme un langage parallèle, est aussi difficile à capter, ce qui fait qu'une conversation peut tourner au cauchemar. La sexualité est remplie de subtilités, de petits gestes et d'intentions qui doivent être décodés à un second niveau. Les personnes Asperger rapportent qu'elles vivent cela comme si elles se trouvaient en présence de quelqu'un qui s'exprimerait dans un dialecte inconnu. « C'est comme apprendre une nouvelle langue chaque fois. » Certains individus vont développer des repères (mots clés, gestes précis, intonations de l'interlocuteur) comme moyen de décodage. Néanmoins, lorsque les repères sont trop rigides, il risque d'y avoir des malentendus. Les relations humaines se déroulent sur plusieurs niveaux parallèles (émotif, non verbal, verbal, cognitif, etc.), et c'est ce qui les rend si complexes.

Le premier moyen permettant d'apprendre le registre des émotions humaines consiste à explorer ses propres niveaux de communication. À l'aide de vignettes ou de mises en situation simples, la personne doit explorer les différents messages contenus dans une phrase. Par exemple : « Tu me plais bien, que dirais-tu de sortir ce soir ? » Le premier message est une invitation à sortir (niveau factuel) ; le deuxième est lié à l'intérêt que l'autre porte envers moi (niveau émotif) ; le troisième est lié à l'intention de l'autre (niveau interpersonnel) ; et le quatrième se rapporte au langage non verbal de l'autre (le langage parallèle de ses gestes, son sourire, sa proximité, le ton de sa voix, etc.). À partir d'un exemple simple, il est possible d'explorer tous les sens d'une communication. L'exercice se poursuit avec des situations de plus en plus complexes, tant par le contenu que par le nombre des interactions. L'apprentissage se fait dans un cadre sécurisant, où l'accent est mis sur le désir d'interagir avec l'autre et non sur la performance. Plus l'adolescent se sentira compétent dans ses relations sociales, moins il aura le désir de s'isoler.

Le comportement de **promiscuité** est présent chez bon nombre de filles et de femmes Asperger. La promiscuité sexuelle se définit par le fait d'avoir des activités sexuelles avec plusieurs partenaires différents, simultanément ou successivement, sans tenir compte des risques ou des dangers d'une telle conduite (Université du Québec à Montréal, 1996). Le manque d'expérience et de limites, le mauvais jugement et le déficit de la théorie de la pensée (la capacité de s'imaginer ce que l'autre peut penser) sont en cause. Afin d'obtenir de l'affection et des contacts intimes, certaines femmes Asperger acceptent toutes les offres sexuelles qui leur sont faites. D'autre part, certains individus profitent de leur naïveté et de leur vulnérabilité. L'exercice des « cercles sociaux », le travail sur les habiletés sociales et l'éducation sexuelle aident ces femmes à se prémunir contre les abuseurs potentiels. La notion de jugement se travaille à l'aide de mises en situation et de jeux de rôles. (Des activités d'intervention sont proposées aux ateliers n° 10 et 11.)

Sheehan (2002) expose la **notion de consentement** chez les individus qui présentent un trouble du développement. L'auteure reprend la définition de McCarthy (1993), laquelle précise qu'une décision éclairée débute par la connaissance de l'anatomie et de la physiologie humaines en lien avec la sexualité. La sexualité implique non seulement la pénétration, mais aussi différentes formes de plaisir provenant des zones érogènes. Le consentement ne se limite pas à la relation sexuelle, mais à toutes formes de touchers ou caresses des organes génitaux et des autres zones érogènes (bouche, poitrine, fesses, etc.). Sheehan (2002) décrit ensuite les huit facteurs en cause dans la notion de consentement :

- La sexualité se vit avec une autre personne, dans un endroit privé ;
- Il est inapproprié d'avoir des contacts sexuels avec des animaux, des enfants, des gens de la même famille ou pour obtenir de l'argent ;
- La relation sexuelle peut entraîner une grossesse, ce qui implique un engagement émotif et financier de la part des parents ;
- Les moyens de contraception, lorsqu'ils sont utilisés adéquatement, diminuent les risques de grossesse ;
- Les moyens de contraception sont vendus dans les pharmacies et les cliniques spécialisées (planification des naissances) ;
- Les comportements sexuels non protégés augmentent les risques de contracter une maladie transmissible sexuellement (MTS). Les symptômes des MTS sont l'irritation, les sensations désagréables, l'infection et la fièvre ;
- Il est favorable de vivre la sexualité dans un contexte de respect ;
- Il est toujours possible de refuser d'avoir un contact sexuel, il s'agit d'un choix personnel.

Lorsque la notion de consentement n'est pas respectée, la personne Asperger peut être victime de gestes non désirés, mais elle peut également devenir elle-même l'agresseur. Le traitement des criminels sexuels est abordé par Swisher (1995). L'histoire développementale, les expériences sexuelles antécédentes, l'abus de substances et les aspects neurobiologiques sont en cause dans les délits sexuels. Par exemple, un taux de testostérone élevé peut être associé à une augmentation de la libido et de l'agressivité chez les criminels. Par ailleurs, moins d'actes criminels sont commis par les individus qui ont un quotient intellectuel de 70 à 110. Néanmoins, certains criminels possèdent un profil distinct et des déficits spécifiques (notamment sur les plans de la communication, de la socialisation et de la personnalité).

L'**histoire sexuelle** est un facteur déterminant en ce qui concerne les conduites inappropriées. Les abus sexuels sont fréquents parmi la population autiste ou Asperger. L'*American Academy of Pediatrics* (1996) a commandé une étude auprès du *National Center on Child Abuse and Neglect,* laquelle a répertorié une moyenne de 36 cas d'abus sexuels sur 1000 enfants présentant un trouble du développement. Ce taux est de 1,7 fois plus élevé que le taux d'abus chez les enfants de la population en général. Les habiletés sociales des personnes Asperger étant limitées, il en résulte un manque d'expérience et de jugement. Le peu de connaissances sexuelles qu'elles ont influence négativement leur compréhension de la notion de consentement à l'égard des demandes sexuelles qui leur sont adressées (Griffiths, 1999 ; Hingsburger, 1993 ; *National Information Center for Children and Youth with Disabilities,* 1992).

Une **histoire d'abus** peut favoriser l'apparition de comportements sexuels inadéquats, car l'individu abusé peut reproduire un comportement dont il a été victime. Ainsi, un adolescent qui a subi des attouchements aux organes génitaux peut répéter ce geste à l'endroit d'une autre personne, car il ne discrimine pas la nature intime de ce comportement, il ne fait que l'imiter. Dans d'autres cas, un individu Asperger peut faire des gestes d'agression en raison d'une mauvaise compréhension de la notion de consentement. Le consentement se définit comme un accord mutuel et réfléchi à l'égard d'un échange sexuel, de quelque nature qu'il soit. Si une personne Asperger agit sous le coup de l'impulsion, elle risque de produire des gestes inappropriés. Le déficit au niveau de la théorie de la pensée risque d'entraîner des comportements abusifs, car le désir de l'autre n'est pas pris en compte. En effet, lorsqu'elle est trop centrée sur elle-même, la personne Asperger ne tient pas compte des pensées, désirs ou besoins des autres. En d'autres mots, sa capacité d'empathie est peu développée.

Zachary, un jeune Asperger de 11 ans, est surpris en train de caresser les organes génitaux d'une élève de son école. Celle-ci n'a pas eu le temps de réagir, car Zachary a rapidement levé sa jupe pour introduire sa main. Très curieux devant la découverte du corps féminin, il a pris l'initiative d'explorer cette jeune fille sans la prévenir et, surtout, sans obtenir son consentement.

Cette situation malheureuse est tout à fait représentative du comportement des personnes qui n'ont pas développé la théorie de la pensée et qui ne saisissent pas la notion de consentement. L'intervention vise la compréhension des limites dans les relations sociales. Les histoires sociales, les bandes dessinées et les cercles sociaux sont des outils qui permettent d'explorer les règles et les limites qui guident les comportements intimes et sexuels. De façon concrète, il faut expliquer à la personne Asperger qu'une série de questions doit précéder tout comportement intime. Par exemple :

- Quelle est ma relation avec cette personne (inconnu, ami, amoureux, autorité) ?
- De quel comportement s'agit-il (tenir la main, embrasser sur la joue, toucher une partie intime de son corps, me faire caresser) ?

- Est-ce que l'autre personne a la même idée que moi, est-elle consentante (a-t-elle envie de partager de l'intimité avec moi) ?
- Est-ce que le comportement est approprié pour mon âge ?
- Y a-t-il des conséquences liées à ce comportement ?
- Sommes-nous dans un endroit privé ou public ?
- Quels sont le lieu et le contexte qui entourent cette situation (école, parc, maison, événement social) ?

Ces questions peuvent être intégrées à une histoire sociale inspirée de celles de Carol Gray (1994). Il est important de répéter les scénarios afin de s'assurer de la bonne compréhension de la part de la personne Asperger. La répétition et la multiplication des exemples favoriseront un meilleur apprentissage et sa généralisation subséquente.

Les comportements sexuels inappropriés

Face aux comportements sexuels inadéquats, il est primordial d'avoir une compréhension exhaustive de la nature de ces derniers en vue d'élaborer une stratégie d'intervention. Voici une grille d'analyse qui répertorie les facteurs précipitants et de maintien des conduites inadéquates.

Comportements sexuels problématiques

1. Compréhension

Quelles conditions influencent le comportement ?

- Stress, anxiété, changement dans la routine, changement de personnel, réaction à un événement, structure du comportement.

Quel est l'historique du renforcement ?

- Habituellement, quelle est la réaction de l'entourage ? Quelle est la conséquence ? Qu'est-ce que l'individu obtient (attention, retrait d'une situation jugée déplaisante) ? Y a-t-il un renforcement qui s'opère ?

Quelle est la fonction du comportement ?

- Attention sociale, routine ou rituel hors contexte, éviter une situation ou un individu, défier l'autorité et les règles, endommager, avoir du plaisir.

2. Causes

- Incompréhension de l'environnement (règles, attentes, interactions);
- Déficit au niveau de l'expression (verbale, émotions, besoins);
- Facteurs organiques: ils sont responsables de 25 % des problèmes graves de santé (médication, maladie);
- Douleur physique (infection, irritation, malaise);
- Difficultés psychologiques ou psychiatriques associées (facteur de comorbidité comme les troubles de la personnalité, la schizophrénie, la psychose, l'anxiété généralisée, la dépression, le trouble obsessionnel-compulsif, le trouble de stress post-traumatique);
- Manque d'activités et de stimulations ou surexposition aux stimuli (envahissement);
- Effets secondaires d'une médication.

3. Stratégies

- Établir un système de communication afin de permettre l'expression verbale, non verbale, émotionnelle;
- Explorer le répertoire des émotions;
- Proposer une alternative comportementale: remplacer le comportement problématique par un autre comportement qui aura la même valeur ou fonction. Ce comportement de remplacement:
  - doit être facile à apprendre et à reproduire,
  - doit être généralisé ou commun (âge, culture, valorisé par les pairs, etc.),
  - peut être exécuté dans un autre environnement,
  - doit être, si possible, incompatible avec le comportement inapproprié.

Chantal Tréhin (2002) propose une autre grille d'analyse globale visant la compréhension des conduites inappropriées chez les individus Asperger.

Causes possibles des troubles du comportement chez une personne atteinte du syndrome d'Asperger

Médicale :

- Ne sait pas exprimer une douleur ;
- Mauvais état de santé général ou problèmes non localisés (digestion, infection, fatigue...) ;
- Épilepsie ;
- État dépressif.

Sensorielle :

- Trop de stimulations ou sensations désagréables (sons, lumières, personnes, contacts physiques, etc.).

Communication :

- A fait ce qui était demandé et ne comprend pas notre irritation (compréhension concrète) ;
- N'a pas compris la consigne :
  - ne sait pas *qu'il faut dire* qu'il (ou elle) n'a pas compris la consigne,
  - ne sait pas *comment dire* qu'il (ou elle) n'a pas compris la consigne ;
- A besoin d'aide (ne sait pas faire ou organiser la tâche) :
  - ne sait pas *qu'il faut demander* de l'aide pour l'obtenir,
  - ne sait pas *comment demander* de l'aide ;
- Doit interrompre une tâche en cours pour faire ce qui est demandé ;
- A mal compris ou il y a eu une mauvaise transmission de l'information (on dit qu'on va au supermarché mais on s'arrête à la poste en chemin) ;
- N'a pas compris qu'on plaisante.

Prévisibilité / temps :

- S'attendait à autre chose (en fonction de son expérience passée) ;
- On a fait des changements dans l'emploi du temps sans le prévenir ou on pense qu'il le sait parce qu'on le lui a dit ;
- A besoin de plus de temps (lent, stressé par la demande) ;
- Ne comprend pas bien les notions de temps (on répond à une question « Oui, cet après-midi » et il comprend « Oui, maintenant ») ;
- On ne respecte pas l'heure indiquée (on a dit : « On part à 5 h », et à 5 h 01 on n'était pas encore parti...).

Sociale :

- La pression est trop grande : il lui faut faire attention à trop de choses : trop de monde, trop de stimulations… ;
- N'anticipe pas les conséquences de ses actions ou de ses paroles ;
- Ne connaît pas la règle (règles implicites) ;
- A peur de l'échec (expérience), préfère refuser ;
- A du mal à contrôler ses émotions (même positives).

Motivation / champ d'intérêt :

- L'effort demandé ne débouche pas sur un résultat motivant ;
- Le trouble du comportement est renforcé par sa conséquence (attention, retrait, jeu, autre bénéfice) ;
- Est « envahi » par ses champs d'intérêt obsessionnels ;
- Ne jauge pas l'importance des critiques (prend une petite remarque pour quelque chose de grave : sentiment d'échec permanent).

Source : Chantal Tréhin, 2002

Le champ d'intérêt spécifique et l'obsession sexuelle

Comme les personnes Asperger ont une propension aux activités répétitives et ritualisées, il est possible que la sexualité devienne leur champ d'intérêt particulier. Dans pareil cas, il sera difficile de restreindre l'intérêt, surtout s'il en résulte satisfaction et plaisir. Tant et aussi longtemps que la préférence pour la sexualité ne cause pas de dommages à la personne elle-même ou à une autre personne, il n'est pas suggéré d'interdire l'accès à la sexualité (il demeure toutefois important d'encadrer l'individu). L'interdit risque en effet d'accroître l'intérêt. Il faut se rappeler qu'à l'âge de l'adolescence, on remarque fréquemment une recrudescence de la libido, et ce, chez la plupart des individus. La curiosité, mélangée à une certaine excitation, rend la sexualité attrayante. Il faut respecter le désir d'exploration (toujours dans les limites du raisonnable) des adolescents Asperger, car cela démontre également un intérêt envers l'autre. Cette étape du développement sexuel est tout à fait normale et même souhaitable puisqu'elle entraîne une socialisation et le développement de relations amicales ou intimes. L'individu peut ou non éprouver ce désir de rapprochement et, si tel est le cas, il devrait avoir le droit de le vivre.

D'autre part, il peut arriver que la sexualité prenne une autre dimension et qu'elle devienne une véritable obsession. Il est important de nuancer cette assertion, car ce phénomène n'est pas présent chez tous les individus Asperger. Il existe peu de données scientifiques, mais des observations cliniques de l'auteure ont permis de distinguer ce phénomène chez certains individus. Une obsession est caractérisée par un désir incontrôlable, hors de proportion et accompagné d'anxiété. La sexualité devient alors la seule source d'intérêt et de stimulation, au détriment de toutes les autres activités. L'obsession peut prendre plusieurs formes : consommation de matériel pornographique (revues, Internet...), voyeurisme, masturbation compulsive, recherche de contacts sexuels, désir de rapprochement, fantasmes répétitifs, etc. Cette situation peut engendrer de la frustration, de l'isolement et un état dépressif si les obsessions ne sont pas satisfaites (ce qui risque fort de se produire).

Lorsque l'obsession est accompagnée d'anxiété, l'univers de l'individu tourne autour de sa sexualité, au détriment du reste : le travail, le conjoint, les autres activités. Par exemple, chaque jour, un jeune adulte regarde quatre heures de matériel pornographique sur Internet ; il se masturbe au travail lors de ses pauses ; il recherche sans cesse des contacts sexuels avec les femmes ; il fantasme sur les différents scénarios qu'il souhaiterait concrétiser et parle de ses fantasmes. Évidemment, comme il n'est pas toujours possible de vivre la sexualité à un tel rythme, l'anxiété se fera ressentir. Différentes observations permettent de déterminer s'il y a une perte de contrôle de la part d'un individu. Voici les points d'observation élaborés par Carnes (1989) :

- L'individu éprouve de la difficulté à résister à une impulsion, à une poussée, à la tentation de s'adonner à l'acte sexuel qui peut être nuisible pour lui-même ou les autres (obsession) ;
- Avant le passage à l'acte, l'individu a le sentiment que la tension ou l'anxiété augmente. Le but de l'acte vise à réduire cette tension (compulsion) ;
- Au moment de passer à l'acte, l'individu éprouve du plaisir et un certain relâchement de la tension mais, immédiatement après, il peut ressentir de la culpabilité ou du regret ;
- Les efforts répétés pour réduire, contrôler ou arrêter le comportement se sont avérés vains ;
- Les activités sexuelles occupent la majeure partie du temps de l'individu, au point de nuire à son travail, à ses obligations et à ses autres engagements ;
- Les comportements sexuels se produisent malgré certains problèmes physiques (irritation, douleurs génitales dues aux gestes répétitifs), financiers (coût élevé du matériel pornographique) ou conjugaux ;
- L'individu devient irritable et inquiet s'il ne peut exécuter les comportements sexuels ;

- Ces indications et symptômes doivent persister au moins un mois et apparaître de façon répétitive, sur une longue période.

Trois niveaux de compulsions sexuelles sont décrits par Carnes (1989). Le premier niveau est caractérisé par l'obsession. L'individu croit à tort qu'il a le pouvoir de contrôler cette obsession. Par exemple, la personne Asperger s'adonne à la masturbation au moindre sentiment de solitude ou de frustration. Les relations sexuelles sont vides de sens et pratiquées sans joie ni plaisir, et l'utilisation de matériel pornographique ou le recours à la prostitution prend des proportions excessives. Le deuxième niveau de compulsion est caractérisé par une peine prévue par la loi. Les actions perpétrées impliquent une victime, ce qui entraîne des conséquences. Pour certains individus Asperger, le risque augmente l'excitation. C'est le cas des comportements d'exhibitionnisme, de voyeurisme, des attouchements indécents (frotteurisme) et des appels téléphoniques obscènes. Le troisième niveau de compulsions, le plus grave, porte directement atteinte à la vulnérabilité des autres : il s'agit de la pédophilie, de l'inceste et de l'agression sexuelle. L'auteur ajoute qu'une même personne peut s'adonner à plus d'un comportement compulsif dans une même période de temps. Il est également possible qu'une compulsion sexuelle se transforme en compulsion pour l'alcool ou la drogue, par exemple.

Lorsqu'un individu sent une perte de contrôle, il est grand temps d'intervenir. Plusieurs modèles d'intervention visant la compulsion sexuelle peuvent s'adapter au profil des individus Asperger (Carnes, 1989, 1993 ; Coleman, 1991). La thérapie de groupe est le modèle préconisé par Carnes (1989). Se basant sur le modèle des groupes *Alcooliques Anonymes* (les AA) et les *Dépendants Affectifs et Sexuels Anonymes,* les *Sexoliques Anonymes* offrent une thérapie en 12 étapes. Les objectifs sont les suivants :

- Admettre le problème ;
- Modifier les systèmes de croyances et les cognitions (pensées) ;
- Explorer de nouveaux comportements (sains et sécuritaires) et de nouvelles stratégies afin d'éviter les comportements compulsifs ;
- Impliquer les membres de la famille ou le partenaire en les invitant à participer aux rencontres ;
- Briser l'isolement et augmenter les habiletés sociales.

D'autres méthodes d'intervention individuelles visent la gestion du stress, les habiletés de communication, l'estime de soi, l'exploration de l'intimité et des relations sexuelles satisfaisantes. Les différents traitements présentent des taux de réussite variables, mais il semble que la combinaison des thérapies — individuelle et de groupe — soit à privilégier (Swisher, 1995).

Chaque situation est unique, mais quelques suggestions peuvent être utiles. Premièrement, il est souhaitable de ne pas punir l'individu ou négliger la situation, car l'état d'anxiété sous-jacent risque d'être accentué. Même si le sujet n'est pas facile à aborder, la personne devrait pouvoir exprimer ce qu'elle vit et dire comment la situation occupe son esprit.

Carl est un adulte Asperger de 21 ans. Il est venu en consultation pour des «difficultés sexuelles». Lorsque l'auteure lui a demandé de quelles difficultés il s'agissait (il est important d'être clair et concret), il lui a confié qu'il était totalement obsédé par l'idée d'avoir des relations sexuelles. Un an plus tôt, il avait eu un contact intime avec une fille de 25 ans et, depuis ce temps, il ne cessait d'y penser et même plus, il tentait de toutes les façons possibles de rencontrer une partenaire. Son désir était alimenté par une fantasmatique très riche et des revues érotiques qu'il consultait tous les jours. Il se disait obsédé. Son psychiatre lui avait prescrit un médicament qui devait calmer ses obsessions, mais aucun résultat n'était apparent.

Il a été encouragé à parler de ses obsessions, à les décrire en détail, et ce, en vue de diminuer son niveau d'anxiété. Après quatre ou cinq séances d'une heure, il se disait moins stressé, car le fait d'en parler permettait de dédramatiser la situation. (La première erreur serait de croire que le fait de parler de l'obsession risque de l'alimenter. La pulsion a besoin d'être exprimée pour ainsi diminuer la tension qu'elle génère.) Par la suite, Carl s'est joint à un groupe de jeunes adultes dans un centre de jour. Comme il était moins anxieux, son désir était moins urgent (mais tout aussi présent). Il agissait de façon plus appropriée avec les filles, il était moins direct dans ses demandes. Il s'est lié d'amitié avec une fille du groupe et, après un mois, ils formaient un couple. Il a raconté qu'elle avait également le désir d'avoir des relations sexuelles avec lui. Il a pu expliquer comment il entendait vivre un premier contact sexuel avec sa copine de 20 ans. Il avait tout prévu: repas au restaurant, cinéma et réservation d'une chambre d'hôtel et... c'est de fait ce qui s'est produit! Sa seule déception était liée au corps de sa copine, qu'il jugeait très différent des modèles des magazines. Le choc a été grand et il n'a pu s'empêcher de le lui dire. Ils en ont discuté, puis il a décidé de s'accommoder de la situation, car il y avait d'autres avantages à être avec elle (sorties, activités, contacts sexuels, etc.).

Afin de bien connaître leur propre fonctionnement sexuel, les personnes Asperger ont besoin de vivre des expériences. Il faut se rappeler que, chaque individu étant unique, la sexualité peut prendre plusieurs formes. La surprotection risque d'augmenter les comportements indésirables car, devant l'interdit, le désir ne fait qu'augmenter. Voici quelques questions et suggestions appropriées lorsque la sexualité est vécue comme une obsession:

- De quel comportement sexuel s'agit-il?
- À quand remonte l'obsession?
- Dans quelles circonstances particulières l'obsession s'exprime-t-elle (moment de la journée, activité qui précède ou suit, individus concernés)?

- Quelle est la valeur fonctionnelle du comportement obsessionnel ?
- Comment se comporte l'individu lorsqu'il agit ou parle de son obsession ?
- Quelles émotions accompagnent le ou les comportements répétitifs (anxiété, colère, tristesse, peur, joie, excitation, etc.) ?

Une fois les informations recueillies, il sera possible d'établir le **contexte** et la **fonction** de l'obsession.

Voici quelques interprétations possibles :

- La sexualité devient la seule source de satisfaction, de plaisir, d'excitation ou de gratification ;
- Le comportement sexuel a pour fonction de diminuer l'anxiété de l'individu (plus particulièrement dans les moments où on attend beaucoup de lui) ;
- La sexualité devient un moyen de défier l'autorité ou l'interdit ;
- Les activités sexuelles permettent d'accéder au stade adulte (l'adolescent ne veut plus être considéré comme un enfant) ;
- Les contacts sexuels stimulent les systèmes sensoriels (tactile, visuel, olfactif). Si la personne Asperger est hyposensible, il est possible qu'une intervention basée sur la stimulation soit nécessaire afin qu'elle apprenne à répondre à un seuil minimal de stimulation ;
- La sexualité devient le symptôme d'un autre conflit sous-jacent (recherche de son identité, frustrations quant à ses différences, rejet des pairs, échecs dans les relations amoureuses, isolement social) ;
- Pour un individu Asperger, un comportement sexuel peut avoir la même valeur qu'un comportement banal. Il faut lui expliquer en quoi un comportement sexuel peut être entièrement différent (contexte social, aspect émotif, respect de certaines normes) ;
- Une obsession sexuelle peut, comme la plupart des obsessions, permettre à l'adolescent de trouver une sécurité dans une routine qu'il contrôle.

Le comportement masturbatoire inapproprié

La question de la masturbation est de première importance. À l'adolescence, l'autostimulation est la source de satisfaction sexuelle la plus commune. Les statistiques démontrent un taux de masturbation de 75 à 93 % dans la population en général (Masters et Johnson, 1988, cités dans Haracopos et Pedersen, 1999). Comme tel, le comportement masturbatoire est sain et normal. Il permet de libérer les tensions sexuelles et « peut permettre à l'individu de mieux vivre sa sexualité grâce à une meilleure connaissance de son corps ; on a dit de la masturbation qu'elle est un moyen qui permet d'être à l'aise ou de prendre plaisir à sa sexualité en connaissant et en appréciant son propre corps » (*National Information Center for Children and Youth with Disabilities,* 1992, p. 14, traduction libre). Le comportement masturbatoire peut devenir problématique lorsqu'il est exécuté dans un endroit inapproprié et s'il est accompagné d'un fort sentiment de culpabilité ou d'anxiété. Dans pareil cas, il est primordial d'en discuter avec la personne. Il faut lui enseigner la différence entre les endroits publics (école, magasin, demeure des amis, bibliothèque, centre communautaire, toilettes publiques, terrain de jeu, etc.) et les endroits privés (toilettes de la maison, chambre à coucher). L'accent doit être mis sur les conditions acceptables du comportement masturbatoire, soit lorsque l'individu est seul dans un endroit privé, la porte fermée. Le message doit être clair et précis (un pictogramme ou un mot-clé résumant la situation peuvent s'avérer utile) afin d'éviter tout malentendu qui pourrait résulter en un comportement inapproprié.

Lorsque le comportement masturbatoire devient l'activité principale d'un individu, il est souhaitable d'explorer les motivations liées à cette pratique (moment d'anxiété, changement de routine, poussée hormonale, rencontre amoureuse, etc.). Par ailleurs, ce comportement peut prendre la forme d'une compulsion sexuelle. Si c'est le cas, il faut permettre à l'individu quelques épisodes d'autostimulation quotidiennement. Si le comportement s'exerce au détriment des autres activités, il est souhaitable d'élargir le cercle d'activités. Les autres activités doivent être stimulantes et intéressantes pour lui. Encourager les rencontres sociales et amicales est une autre solution. En diversifiant les activités et les rencontres, il en retirera un plaisir qui pourra diminuer l'autoérotisme. Une autre stratégie consiste à occuper ses mains (s'il s'agit d'une compulsion sexuelle ou d'un automatisme) par le dessin, la peinture, la sculpture, l'écriture, le clavier d'un ordinateur, la photographie, le calcul, le tennis ou toute autre activité qui nécessite de la concentration. Il n'est pas question ici de sublimer les pulsions sexuelles, mais de diversifier le répertoire des activités stimulantes pour l'individu. Habituellement, après l'adolescence, la fréquence des comportements masturbatoires diminue d'elle-même. Il est souhaitable que le développement sexuel soit respecté. Les interventions visent à aider la personne à combler ses besoins, de façon acceptable et enrichissante.

L'agression sexuelle et les actes criminels

Plusieurs comportements sont jugés indécents ou criminels : l'exhibitionnisme, le voyeurisme, le « frotteurisme », l'agression sexuelle, la pédophilie et tous les autres comportements sexuels déviants. L'individu peut être agressé ou devenir l'agresseur. Voici quelques suggestions pour aborder le sujet :

- Sensibiliser la personne aux différentes formes d'abus auxquelles elle peut être exposée dans la famille, hors de la famille ou dans la relation amoureuse. Le but est d'encourager les individus à s'exprimer au sujet des situations d'abus et à développer des moyens pour se protéger ou pour protéger une autre personne ;

- Discuter les notions de privé et de public ainsi que les limites qu'elles comportent. Des exemples personnels viendront enrichir la discussion.

Voici quelques-uns des thèmes du programme Vague par Vague (www.mwaves.org). Ce programme éducatif a pour objectif la prévention de la violence dans les relations amicales et amoureuses. (Certaines de ces activités sont complémentaires à notre programme d'éducation sexuelle.)

- Les notions de contexte et d'espace : les lieux, les comportements, les individus avec lesquels les comportements intimes sont appropriés ;
- Les limites de l'amour (les situations respectueuses, malsaines et les relations abusives) ;
- La violence dans la relation amoureuse ;
- Comment réagir à une situation d'abus sexuel ;
- La sexualité et la loi : juger différentes situations et explorer ce qui est acceptable et inacceptable ;
- Détecter les signes précurseurs : quoi faire lorsqu'une personne agit de façon excessivement jalouse, explosive, déprimée, agitée ou étrange (comment prévenir l'abus sexuel) ;
- Comment s'aider soi-même ou aider un ami lorsque survient un abus sexuel.

L'agressivité peut devenir le moteur de la sexualité et engendrer des comportements inappropriés. L'agressivité *latente* peut être le reflet d'une pauvre socialisation. L'individu devient alors troublé et dépressif. Lorsque l'agressivité est *manifeste,* elle s'exprime par des comportements visibles et est dirigée vers les autres. Plusieurs interprétations sont possibles : histoire d'abus sexuel, renversement du trauma en triomphe, imitation, insatisfaction sexuelle (pas de partenaire, peu d'expérience, manque de stimulations, etc.), hostilité envers un individu ou un sexe en particulier (Tremblay et collab., 1998).

Hingsburger (1995a) aborde la notion des abus sexuels du point de vue des individus qui présentent un trouble envahissant du développement. Son approche vise la compréhension et la réduction du rôle de victime. Il préconise l'apprentissage des connaissances sexuelles, des limites, de la notion de jugement et de la communication ouverte. Il prône l'éducation sexuelle et la reconnaissance des droits des personnes. Son ouvrage peut servir de préambule à des discussions enrichissantes, tant pour les parents et les intervenants que pour les individus eux-mêmes.

Depuis quelques années, des cas d'actes criminels et d'abus sexuels commis par des individus Asperger ont été documentés. L'aspect légal (reconnaissance du syndrome, aide et soutien) a été peu exploré, mais quelques cas ont défrayé la chronique. En effet, de jeunes autistes, des adolescents et des adultes ont commis des délits tels que l'agression physique, l'agression armée, le vol, la tentative de meurtre et, dans certains cas, des crimes liés à leur centre d'intérêt principal, à leur activité préférée ou à une obsession.

Quelques cas sont présentés sur la liste de discussion *Schafer Autism Report* (schafer@sprynet.com). Cieslak (2003) rapporte qu'un garçon de 14 ans a mutilé un chien avec un bâton. Murphy (2001) raconte pour sa part l'histoire d'un individu ayant une fixation sur les trains. Son intérêt l'a mené jusqu'au vol d'un convoi. Attwood (1998a) a rapporté cette histoire, qu'il décrit comme un des rares exemples où un individu possiblement Asperger commet un crime lié à son champ d'intérêt particulier.

Dans certains cas, des gestes sexuels inadéquats sont perpétrés sans que la personne ait conscience des conséquences qui en découlent.

Un adulte de 27 ans est envoyé en consultation par un juge pour avoir fait des gestes exhibitionnistes. Après avoir consommé de l'alcool en quantité importante, il a décidé de faire de l'auto-stop près d'une voie très passante. Depuis quelques mois déjà, il était à la recherche d'une amoureuse, mais ses démarches avaient échoué. Exaspéré, il a impulsivement retiré son pantalon et son sous-vêtement afin d'attirer l'attention des femmes en voiture. La police l'a arrêté et il a dû se présenter à la cour.

Son impulsivité l'a empêché de réfléchir aux conséquences de ses gestes qu'il a grandement regrettés par la suite. L'alcool a affecté son jugement et sa pudeur, car jamais auparavant il n'avait fait une telle chose. Dans un premier temps, le travail thérapeutique a porté sur la compréhension de l'individu relativement aux actes commis et sur les façons de prévenir son impulsivité. Il a été sensibilisé aux effets de l'alcool et aux règles régissant les conduites en société. Dans un second temps, les séances de thérapie ont visé la reconnaissance et la gestion de ses émotions (signaux physiques et affectifs, réponse comportementale). Les activités du programme de Sofronoff et Attwood (2002) ont servi de canevas, et le développement des habiletés sociales a complété le programme d'aide professionnelle.

La gestion des émotions permet aux individus de réfléchir avant d'agir. L'impulsivité menant souvent à des conduites inappropriées, il était important de donner à ce jeune homme des outils pour éviter qu'une telle situation se reproduise. Le travail sur les habiletés sociales visait à élargir son cercle de connaissances en vue de favoriser les rencontres amicales ou amoureuses. Dans certains cas, l'isolement entraîne un désir si intense de rencontrer un partenaire que les gestes seront impulsifs et inappropriés. Plus les occasions de faire de nouvelles rencontres seront nombreuses, moins cette personne sera impulsive et désespérée.

La délinquance sexuelle

(en collaboration avec Patrick Papazian[1])

La sexualité des personnes Asperger s'inscrit dans un cadre respectant généralement les valeurs éthiques et morales partagées par la plupart des sociétés occidentales. Néanmoins, il arrive que cette sexualité s'aventure parfois dans le domaine de l'illégalité, de la criminalité. Si la notion de criminalité sexuelle s'applique à des actes qui peuvent varier d'un pays ou d'une époque à l'autre, sa définition est établie, notamment dans le code pénal de la plupart des états de droit. Les actes sexuels indécents ont en commun un motif essentiellement lié à la sexualité (exhibitionnisme, publication d'images pornographiques, d'attouchements, de pénétration...), condamnable et sanctionné par la loi (généralement imposé à une personne, sans qu'il y ait de consentement). Le viol, les agressions sexuelles *stricto sensu,* l'exhibition sexuelle, l'atteinte sexuelle sur un mineur sont des exemples classiques d'actes sexuels indécents unanimement condamnés et sanctionnés dans plusieurs pays. Les facteurs d'aggravation ont trait à la qualité de la victime (la vulnérabilité), à celle de l'auteur (toute personne ayant de l'autorité sur la victime), aux modalités liées à la commission de l'infraction (accompagnée, précédée ou suivie d'actes de barbarie ou de torture, usage d'une arme...) ainsi qu'au résultat des violences (décès, mutilation ou infirmité permanente...).

Les actes de délinquance sexuelle relevés chez certains individus Asperger sont peu documentés, notamment dans le domaine épidémiologique. Il est important de souligner deux faits : d'une part, les facteurs d'aggravation sont presque toujours absents des délits sexuels commis par ces personnes ; d'autre part, le diagnostic de syndrome d'Asperger est parfois porté tardivement (après avoir commis une conduite délictueuse, lors de l'examen de l'individu, de son histoire, etc.).

Syndrome d'Asperger et violence : les données quantitatives

La sous-estimation de la prévalence du syndrome d'Asperger dans la population en général conduit à une sous-estimation de cette affection chez les personnes qui commettent des actes criminels à connotation sexuelle. Des études ont tenté de préciser les relations entre le syndrome d'Asperger et la violence en général (non exclusivement sexuelle), en cherchant à définir la prévalence de ce syndrome dans des hôpitaux réservés aux patients potentiellement dangereux. Une étude menée par Scragg et Shah (1994) au *Broadmoore Special Hospital* a comparé la prévalence du syndrome d'Asperger défini par les

1. Patrick Papazian, Agence DDB-Ciel et terre, 6 rue Nicolas-Appert, 75011 Paris, France.

critères de Gillberg et Gillberg (1989) aux données classiques de prévalence dans la population en général. Cette étude n'a porté que sur des individus de sexe masculin. Sur 392 patients de l'hôpital, 6 ont été diagnostiqués Asperger, soit une prévalence de 1,5 %. À ces 6 cas pouvaient s'en ajouter 3 autres, avec un degré de certitude plus faible, faisant passer la prévalence à 2,3 %. Ces chiffres sont supérieurs à la prévalence observée à la même époque dans la population masculine en général, soit 0,55 % (Ehlers et Gillberg, 1993). Cependant, il est impossible de conclure que les patients atteints du syndrome d'Asperger sont plus violents que la population en général. En effet, les groupes des deux études ne sont pas comparables (pays, âges, milieux socio-culturels et environnements différents). De plus, d'un point de vue statistique, il est impossible d'affirmer que les différences observées entre ces données de prévalence sont significatives. Ces aspects ont été relevés à juste titre par Hali et Bernai (1995). Ainsi, il semble impossible à ce jour d'affirmer qu'un individu Asperger risque d'être plus violent qu'un individu quelconque. Malgré la présence de données scientifiques et d'observations cliniques se rapportant aux difficultés à tolérer la frustration, le manque d'empathie et les difficultés sociales (Scragg et Shah, 1994 ; Smith, Myles et Southwick, 1999), les études épidémiologiques ne permettent pas de conclure que ces personnes sont plus susceptibles d'effectuer un passage à l'acte (Ghaziuddin, Tsai et collab., 1991).

Délinquance sexuelle et syndrome d'Asperger : les aspects qualitatifs

Plusieurs cas rapportés décrivent des conduites sexuelles illégales chez des personnes Asperger. Ces études de cas témoignent de leurs difficultés à aborder les femmes, à entrer en relation et à construire une intimité. Le point commun des délits sexuels est un passage à l'acte sans préméditation. L'agression sexuelle se limite à des attouchements dans des lieux publics, sur des personnes considérées comme des partenaires sexuels potentiels. C'est le cas, par exemple, d'un homme âgé de 38 ans qui s'est livré à des attouchements et à des comportements de « frotteurisme » (Cooper, Mohamed et collab., 1993). Son incapacité à entrer en contact avec les femmes et son manque d'empathie ont fait en sorte qu'il ne percevait ni la gêne ni la peur chez ses victimes.

Mawson (1985) décrit le cas d'un homme ayant porté des coups à des femmes croisées dans la rue parce qu'il les jugeait insuffisamment vêtues, à un enfant qui pleurait ou encore à un chien qui aboyait. La sexualité provoquait une forme de violence qui reflétait une incapacité à assimiler certains stimuli : auditifs ou visuels, non verbaux, excitants, émouvants ou agaçants. L'un des cas les plus particuliers décrits par Kohn, Fahum et collab. (1998) concerne un adolescent de 16 ans. Ce jeune homme a commis des agressions sexuelles à répétition, majoritairement des attouchements sur des femmes qu'il jugeait attirantes. Lors des évaluations, l'adolescent n'avait pas de remords particulier et rationalisait ses actions par ce commentaire: « Elle me plaisait, je lui ai fait comprendre... à ma manière. » Les auteurs soulignent que l'inadaptation des comportements sociaux, le manque d'empathie et les stéréotypies, fréquemment rencontrés chez ces personnes, ont contribué au passage à l'acte de ce patient. Ainsi, la violence sexuelle ne serait pas plus fréquente chez ces individus, seulement elle s'exprimerait selon des modalités bien particulières, propres au syndrome d'Asperger.

Le cas de Jeffrey Dahmer

L'hypothèse scientifiquement étayée du syndrome d'Asperger s'applique à l'un des tueurs en série les plus célèbres des États-Unis, Jeffrey Dahmer (Arturo Silva, Ferrari et Leong, 2002). L'étude de cas de Dahmer permet d'explorer la relation entre le syndrome d'Asperger, les psychopathologies et les crimes de nature sexuelle d'un point de vue neuropsychiatrique et développemental. Jeffrey Dahmer a sévi jusqu'à son arrestation, en 1991, tuant une vingtaine de jeunes hommes et se livrant à des actes de nécrophilie, plus rarement de cannibalisme, sur ses victimes. La coopération de Jeffrey Dahmer avec les forces policières et les équipes de psychologues et psychiatres qui l'ont évalué a permis de recueillir des informations détaillées sur son histoire familiale et personnelle, ses motivations et son interprétation des faits. Arturo Silva, Ferrari et Leong (2002) estiment que le diagnostic de syndrome d'Asperger est probable, sur la base des critères diagnostiques couramment admis. Ainsi, les actes de nécrophilie perpétrés semblent cohérents avec les préoccupations qu'il nourrissait depuis son enfance. Il s'intéressait à l'aspect extérieur et intérieur des corps, animaux ou humains. Cet intérêt quasi obsessionnel pour l'anatomie et le collectionnisme le conduisait à répéter ses actes en série. Selon l'étude de cas, Jeffrey Dahmer n'aimait pas tuer ou faire souffrir ses victimes; ses meurtres étaient justifiés par sa volonté de contrôler ses victimes et de trouver une satisfaction sexuelle liée à l'acte. Le collectionnisme de certaines parties du corps de ses victimes s'inscrivait davantage dans un comportement stéréotypé.

Des écrits scientifiques et des études de cas ont démontré que les délits sexuels perpétrés par des individus Asperger ne sont pas plus fréquents ou violents. Par contre, le contexte des comportements sexuels illégaux, les modalités du passage à l'acte et le regard porté sur le geste diffèrent lorsqu'il s'agit d'un délinquant affecté du syndrome d'Asperger. La mise en place d'actions préventives, éducatives et thérapeutiques est primordiale.

Plusieurs facteurs peuvent provoquer ou précipiter des comportements délinquants ou criminels: l'abus de substances (drogue, alcool), l'influence négative des autres, les expériences antérieures, le manque de jugement et d'empathie de même que l'incompréhension de la notion de consentement. Langevin et Curnoe (2002) proposent des pistes liées aux différents traitements.

Les médicaments (antiandrogènes, *Provera*), la thérapie de groupe, les méthodes aversives et la désensibilisation systématique sont les plus populaires auprès de la clientèle qui présente un trouble du développement. L'éducation sexuelle, l'entraînement aux habiletés sociales et la psychothérapie d'approche cognitive-comportementale sont également à considérer. Les interventions doivent tenir compte des particularités cognitives de ces personnes en s'attardant aux modalités du passage à l'acte et aux circonstances pouvant constituer des facteurs de déclenchement.

Dans les cas d'agression ou de pédophilie, l'organisation d'une relation sexuelle avec un partenaire adulte professionnel consentant peut être une solution envisageable. Il n'est toutefois pas toujours possible d'offrir une occasion d'échange sexuel « supervisé » (Griffiths, Quinsey et Hingsburger, 1989). Certains individus ont parfois recours à un « service d'escortes » ou à des partenaires d'échange afin d'assouvir leurs pulsions et d'acquérir de l'expérience. Cette alternative doit être adoptée avec vigilance en raison de l'aspect légal qui entre en jeu.

Debbaudt (2001) commente les cas d'agression et de délinquance en abordant le dilemme auquel font face les intervenants de même que la justice aux prises avec des individus autistes et Asperger. L'auteur souligne l'ampleur de la situation : « Comment trouver une justice équitable pour chaque individu concerné en plus d'adresser les besoins particuliers des individus autistes ? Comment défendre efficacement un délinquant autiste incarcéré ? Comment s'organise la défense des personnes autistes autour des victimes ? L'éducation doit d'abord s'effectuer auprès du personnel d'urgence et des hôpitaux afin de favoriser la défense des droits des personnes autistes. La deuxième étape concerne le système judiciaire, plus précisément l'information qui devrait être transmise aux experts du domaine médico-légal. » (Traduction libre). En Angleterre, le *Hayes Independent Hospital* offre des services professionnels spécialisés à 12 individus Asperger. On peut communiquer avec le centre en écrivant à hayes@nas.org.uk ou en visitant le site de la *National Autistic Society* (www.nas.org.uk).

Chapitre 3

Les habiletés sociales

> « Le développement et le maintien de relations interpersonnelles satisfaisantes sont indispensables à l'équilibre et au bien-être de toute personne [...] cet apprentissage est fondamental. Qui n'a pas constaté à quel point le moindre geste, le plus banal, le plus quotidien, baigne dans un contexte social ? On ne cesse d'interagir avec notre environnement social. »
>
> Madeleine Beaudry, sociologue

La socialisation et les émotions font partie des thèmes qui engendrent le plus d'interrogations, de confusion, de peurs et de malentendus chez les personnes atteintes du syndrome d'Asperger. Pourtant, elles constituent la pierre angulaire des relations interpersonnelles, ce qui inclut la sexualité. Bien des individus évitent d'entrer en relation avec les autres par peur du rejet ou du ridicule. Cette attitude découle souvent d'un sentiment d'incompétence et du manque d'expérience dans le domaine des relations interpersonnelles et sexuelles. L'isolement et le refus d'entretenir des relations peuvent être la conséquence d'un choix, mais lorsque cette situation est vécue comme imposée, l'individu peut en souffrir et se sentir déprimé, anxieux ou frustré.

Le désir d'être en relation avec les autres peut prendre la forme d'un comportement ou d'un désir affectif, émotif ou sexuel. Pour plusieurs individus Asperger, l'idée de « briser la glace » est si terrifiante qu'ils évitent de se retrouver dans une situation où ils auraient à prendre une telle initiative. Les expériences antérieures sont en grande partie responsables de ce comportement. Leur passé est souvent peuplé de mauvais souvenirs. Le rejet, l'échec, la brutalité, l'intimidation (*bullying*) et l'incompréhension sont, pour plusieurs, la résultante de leurs relations passées. En conséquence, ils évitent les rencontres et les contacts sociaux, ce qui a un effet direct sur la confiance et l'estime de soi. Lors de sa présentation à l'occasion de la *Second National Conference on Asperger's Syndrome*, Muskat (2003) a décrit l'estime de soi comme « les sentiments et les pensées sur nous-mêmes qui se développent dans nos relations aux autres, dans l'accomplissement de nos tâches, à travers les projets que nous souhaitons réaliser et l'optimisme face à notre succès. » (Traduction libre.) Plusieurs personnes Asperger souffrent de la solitude et beaucoup ont confié qu'elles aimeraient avoir des amis, une amoureuse ou un amoureux, ou quelqu'un avec qui partager leur vie. Afin d'augmenter le sentiment de compétence et l'estime de soi de ces individus, une série d'exercices, d'activités et d'outils sont proposés dans notre programme d'éducation sociosexuelle. Les expériences sociales positives augmentent la confiance en soi et agissent comme renforcement. Les exercices d'apprentissage permettent de se questionner, de se positionner face à différentes situations, d'apprendre les règles de la communication, la définition de l'intimité ainsi que le décodage du langage non verbal. Ce chapitre propose différentes théories, réflexions et outils qui aident à intensifier et peaufiner les habiletés sociales intimes et de communication des personnes Asperger.

Les aptitudes sociales se définissent par les capacités d'entrer en relation, de maintenir le contact, d'échanger de façon réciproque et de partager des émotions et une intimité avec les autres. Une des difficultés des personnes Asperger se situe sur le plan des habiletés sociales. Elles éprouvent de nombreux malaises qui mettent en péril l'établissement des relations interpersonnelles. Attwood (2003b) énumère quelques caractéristiques liées au déficit des relations sociales : le manque de réciprocité, le manque de maturité dans les relations, le vocabulaire limité sur le plan de la caractérisation (description de la personnalité de quelqu'un), les stratégies d'adaptation, les limites de l'expression non verbale et la gestion des émotions. Certaines personnes Asperger ont une plus grande considération pour leurs champs d'intérêt spécifiques qu'ils en ont pour les relations interpersonnelles. Cependant, plusieurs d'entre elles démontrent un intérêt important envers les autres. À l'adolescence, elles développent de l'attirance pour les autres jeunes et, une fois adultes, les désirs se multiplient (rencontrer un partenaire, partager sa vie avec quelqu'un, se marier, fonder une famille). L'image de l'adolescent ou de l'adulte solitaire et retiré n'est pas valable pour tous.

Les individus qui ont le désir d'entrer en relation sont ceux qui souffrent le plus du déficit de leurs habiletés sociales. Le sentiment de solitude, la dépression, l'anxiété et la colère sont les symptômes les plus souvent associés à leur détresse. Une jeune adulte confiait :

> « Même si je suis satisfaite de certaines rencontres, j'ai encore peur de faire les premiers pas. J'ai vécu tant de déceptions que je me résigne parfois à penser que je passerai ma vie seule. Pourtant, j'apprécie la compagnie des autres, mais j'appréhende toujours l'échec. J'ai besoin de vivre plusieurs expériences, en dehors de ce que je connais. Je dois explorer davantage les différents types de relations humaines pour prendre de l'expérience. Cela me demande énormément d'énergie, mais cela en vaut la peine. »

L'anxiété associée aux premières relations significatives (amicales et amoureuses) prend une tout autre ampleur pour certains. Jackson (2002) a décrit ses premières appréhensions à l'égard des relations avec les autres. À 13 ans, il a écrit un ouvrage des plus intéressants sur son adolescence vécue avec le syndrome d'Asperger. Il y énumère une série de trucs pratiques pour les premiers rendez-vous en faisant référence au *Dating Game* (Jackson, 2002, p. 176). Il n'y a rien de plus imprécis et imprévisible qu'un premier rendez-vous. C'est pour cette raison qu'un certain « mode d'emploi » peut s'avérer utile. Évidemment, avec le temps et l'expérience, les conduites plus spontanées seront favorisées. En attendant, voici quelques outils pour permettre aux personnes Asperger de « briser la glace ».

Les habiletés sociales

L'entraînement aux habiletés sociales a pour objectif de raffiner et d'accroître le répertoire des comportements adaptatifs des individus. Le lien entre les habiletés interpersonnelles et la sexualité est important. Mis à part les comportements d'autostimulation, les conduites sexuelles sont vécues et partagées avec d'autres personnes. Communiquer avec l'autre (de façon verbale et non verbale) permet de se rapprocher, d'exprimer ses désirs, ses sentiments, la volonté de se revoir... Avant que tout cela devienne possible, il faut acquérir certaines habiletés de base indispensables à l'établissement d'une relation entre deux personnes.

L'enseignement des habiletés sociales et interpersonnelles est hautement profitable aux personnes Asperger. En plus d'améliorer la qualité des interactions sociales, les programmes d'intervention permettent d'étendre les nouveaux comportements au milieu de vie des participants. Attwood et Gray (1999a) abordent les habiletés d'amitié à l'aide d'interventions adaptées aux difficultés des personnes Asperger. Les habiletés de présentation (joindre le groupe, se présenter, saluer les autres) constituent la base des interactions. L'intérêt envers les membres d'un groupe favorise la participation et l'échange. Les programmes d'habiletés sociales sont un premier modèle. Dans le cadre d'une série de rencontres hebdomadaires, différents exercices sont mis en place et des activités sont réalisées. Le format de groupe favorise l'apprentissage social (apprendre en observant les autres). En cours d'apprentissage, la réciprocité entre les individus s'accroît et certains se découvrent des intérêts communs. L'intérêt partagé est un élément de base dans l'établissement d'une amitié (Hénault, Forget et Giroux, 2003). Habituellement, lors des premières rencontres, la tendance à s'isoler est forte et peu d'échanges sont observés. Les activités des ateliers subséquents suscitent les habiletés de conversation des participants. Il est également possible de développer leurs habiletés de communication et d'intimité. Afin d'observer les progrès accomplis, Attwood et Gray (1999a) ont mis au point une grille d'observation basée sur les habiletés de base pertinentes à la condition d'Asperger. Ainsi, à chaque rencontre hebdomadaire, une observation indépendante permet de suivre l'évolution des habiletés de chaque participant. Une deuxième version plus élaborée de la

Friendship Skills Observation Checklist (Attwood et Gray, 1999a) est disponible sur le site www.tonyattwood.com.au sous le nom de *Indices of Friendship Observation Schedule* (Attwood, 2003c).

La première version de la grille comprend 14 habiletés sociales générales qui se subdivisent en 24 comportements. La grille permet d'observer la fréquence et la proportion des habiletés démontrées par chaque individu. Elle est remplie par un évaluateur externe, par exemple l'enseignant ou l'intervenant responsable du groupe d'habiletés sociales. Chaque habileté interpersonnelle retenue est accompagnée d'une description de son contenu spécifique. Afin d'augmenter la fidélité de l'évaluation, le système de cotation employé prend la forme d'une échelle de Likert à cinq degrés. Par exemple, le premier degré marque la présence de moins de 10 % d'une habileté déterminée, le troisième représente 50 % et le cinquième, plus de 80 % de mise en application de cette habileté dans un cadre donné. Le choix de cinq degrés permet de simplifier la tâche de l'observateur, compte tenu du fait que les limites maximales (au-delà de cinq) sont rarement sélectionnées. La grille peut être utilisée comme mesure tout au long du programme d'éducation sociosexuelle et elle peut être aussi utilisée comme mesure *post hoc.*

Le programme d'habiletés sociales de Ouellet et L'Abbé (1987) est également explicite sur le plan de la socialisation. Les auteurs proposent des exercices (mises en situation, jeux de rôles et vignettes) basés sur cinq catégories d'habiletés. La première catégorie est constituée des « habiletés de base » : soigner son apparence, écouter, participer à une conversation, remercier et faire un compliment. La deuxième catégorie comprend les « habiletés avancées » : s'excuser, donner des instructions, offrir et demander de l'aide, partager et résoudre des problèmes. La troisième catégorie se rapporte à « l'expression des sentiments ». La première étape consiste à apprendre à reconnaître ses propres sentiments et ceux des autres. Par la suite, les enseignements s'attardent à l'expression de l'affection, de la joie et de la colère. À la dernière étape, des exercices visent à répondre à la taquinerie et à l'échec. La quatrième catégorie d'habiletés aborde « l'affirmation de soi ». Les activités mettent en scène des éléments se rapportant à la négociation, au refus, à la valorisation de ses droits et de son opinion ainsi qu'à la gestion de l'agressivité. Enfin, la dernière catégorie a pour thème « le respect d'autrui ». Les mises en situation ont pour objectif d'être attentif aux autres, de respecter l'autorité, d'interagir en groupe, d'élaborer les habiletés d'amitié, de respecter les règles et d'apprendre à reconnaître les touchers inappropriés. Dans l'ensemble, ce programme couvre plusieurs habiletés pertinentes au développement interpersonnel des individus.

Le contact visuel

Un nouveau Club de l'amitié a vu le jour au New Jersey. Il propose un entraînement aux habiletés sociales qui inclut le contact visuel. Graham (2003) décrit les activités du groupe d'éducation sociale pour des jeunes Asperger. Le contact visuel est un élément important de la communication. Il est caractérisé par la capacité de lire les émotions qu'exprime le visage et il démontre l'intérêt porté envers l'autre. Pour les personnes Asperger, le contact visuel demande une concentration accrue, car certaines ont de la difficulté à capter et à analyser les stimuli provenant de la communication verbale et non verbale. Afin de garder leur concentration, elles évitent de soutenir le regard de l'interlocuteur lors des conversations et préfèrent porter leur attention sur l'écoute. Malheureusement, l'entourage interprète souvent ce comportement comme un manque d'intérêt. Dans les relations amoureuses, les individus Asperger ont avantage à développer quelques stratégies afin d'arriver à maintenir un contact visuel avec leur partenaire.

Les comportements affectifs

Comment exprimer son affection à quelqu'un ? Quel câlin exprime quelle émotion ? Quel est le langage des câlins ? Keating (1994) explore ces notions dans *Le petit livre des gros câlins :* « Manifestation d'amour, d'affection, de compassion et de joie, les câlins ne sont pas seulement délicieux, ils sont nécessaires. Les scientifiques du monde entier ont prouvé que les câlins sont aussi indispensables à notre bien-être physique qu'à notre équilibre affectif », p. 13. Une cinquantaine d'images (des dessins d'ours symbolisant l'affection) illustrent les différents câlins et leur signification. Simple et pratique, ce petit recueil est recommandé à ceux qui désirent tout connaître sur le sujet. Comme plusieurs jeunes ont peu de repères lorsqu'il est question de gestes intimes, ils peuvent en apprendre les rudiments tout en s'amusant. Ce livre peut être utilisé pour décoder et imiter les gestes d'affection, dans le contexte d'un apprentissage des gestes intimes appropriés chez les jeunes Asperger.

La communication

La communication comprend les langages verbal et non verbal. Bien que la majorité des individus Asperger possède plusieurs habiletés liées au langage, les habiletés de communication sont généralement déficitaires. D'autre part, il est reconnu que le langage verbal constitue seulement 30 % de la communication, tandis que le langage non verbal représente 70 % des échanges.

La communication verbale

La **communication verbale** comporte une série d'éléments qui constituent l'art de converser. Attwood (2003b) dresse la liste des aspects pragmatiques de la conversation chez les individus Asperger. Ces derniers éprouvent des difficultés à plusieurs niveaux : manque de réciprocité, commentaires inappropriés, monologues, interprétations littérales, mimétisme, détails techniques excessifs, idiosyncrasie, néologismes, volume de la voix, énonciation à voix haute des pensées et hyperacousie (hypersensibilité auditive). Les habiletés de communication peuvent être développées de façon pratique et concrète, c'est-à-dire en participant à des activités qui permettront de les exercer. Les interventions individuelles et de groupe s'adaptent aux exercices de communication.

Un premier outil s'intéresse aux principes de la communication (Boisvert et Beaudry, 1985) qui permettent d'établir une bonne conversation avec une autre personne. Les quatre grands principes sont les suivants : je m'exprime, j'écoute, je vérifie et je tiens compte de l'autre. L'intervention proposée aux individus est présentée sous forme d'exercices pratiques, de jeux de rôles et de mises en situation. Voici le contenu des enseignements proposés.

Je m'exprime

Je dis clairement, précisément et brièvement ce que je pense et ressens. J'exprime ce que je ressens d'une façon non accusatrice, mais directe et constructive. J'exprime mes demandes d'une façon positive et je ne sors pas du sujet (ramener d'anciennes discussions ou un contenu parallèle sans rapport, par exemple mon champ d'intérêt particulier). Finalement, je respecte l'autre : j'évite de l'insulter et de lui faire des remarques désobligeantes. La discussion doit demeurer respectueuse.

J'écoute

Je laisse parler l'autre et je l'écoute d'une façon active (par l'attention que je porte à la discussion).

Je vérifie

Afin d'éviter les malentendus, je vérifie si j'ai bien compris ce que l'autre a dit (en reformulant dans mes mots). De plus, je vérifie si l'autre a bien compris ce que je lui ai dit. Comme je ne lis pas dans les pensées des autres et qu'ils ne lisent pas dans les miennes (théorie de la pensée), je vérifie si l'autre pense ou ressent ce que je crois (par exemple, en commençant ma phrase ainsi : « Est-ce que tu veux dire... »).

Je tiens compte de l'autre

Je respecte l'autre. Je remarque également ses comportements positifs (efforts pour s'exprimer, bonne disposition à la discussion, écoute, etc.). Quand je suis d'accord avec l'autre, je le dis honnêtement (par exemple : « Je suis d'accord avec ce que tu viens de dire... »). Le fait de toujours être en désaccord conduit aux conflits. Si je ne suis pas d'accord avec l'autre, je reconnais la valeur de son point de vue (par exemple : « Même si je ne suis pas d'accord avec ce que tu viens de dire, je respecte ton opinion sur... »).

Les jeux de rôles et les mises en situation permettent d'aborder les caractéristiques de la communication verbale. Les apprentissages peuvent s'effectuer à l'intérieur d'un petit groupe ou individuellement. À partir d'exemples de son quotidien, la personne explore la communication et analyse la présence ou l'absence des quatre constituantes dans les échanges qu'elle rapporte. Une autre série d'exercices est effectuée à partir d'extraits provenant des conversations à l'intérieur du groupe, à la maison ou avec les pairs. Un enregistrement sonore permet de repérer les éléments dans les discussions et facilite l'analyse subséquente d'une conversation. Par la suite, la généralisation des apprentissages est favorisée par l'établissement de la communication avec les gens de l'entourage. Malgré certaines résistances de sa part, la personne Asperger est encouragée à engager une conversation avec un individu d'un milieu qu'elle fréquente. La seconde partie de l'exercice vise à rapporter les propos et à soutenir les initiatives semblables. Les nombreuses résistances sont souvent l'écho du sentiment d'inadéquation et de la peur du rejet. Plus la personne Asperger prend confiance en elle en accumulant les expériences positives, moins elle résiste aux discussions.

Le langage non verbal

Le langage non verbal est la constituante la plus importante de la communication. Il inclut les expressions du visage, les émotions, les gestes, la posture du corps et le contact visuel. Muskat (2003) aborde les difficultés des personnes Asperger sous l'angle de la compétence sociale. Cet apprentissage vise une meilleure compréhension de l'environnement et des interactions avec les autres. À l'aide des techniques basées sur l'apprentissage par imitation (à partir d'un modèle), par des mises en situation et par le renforcement positif, la personne apprend concrètement à décoder et à communiquer au moyen du langage non verbal.

Un des exercices proposés consiste à reproduire en gestes (sans paroles) le contenu d'une vignette. Par exemple : « Je suis bien en ta présence » ; « Je suis nerveux car je dois rencontrer mon patron » ; « J'ai perdu mon chien et cela me rend triste » ; « Aujourd'hui, je suis songeur, je dois prendre une décision » ; etc. (Des exemples de vignettes sont proposés dans le programme d'éducation de Lemay, 1996). Les vignettes peuvent être adaptées à la réalité des participants. Par exemple, des éléments du quotidien seront résumés dans de courtes phrases pour être ensuite mimés. Les exemples concrets sont plus faciles, car l'individu peut s'y référer davantage. Un autre exercice reprend les mises en situation à partir de vignettes orientées sur des contenus intimes et affectifs. Cette activité s'intègre dans le plan d'éducation sexuelle. (Des exemples de vignettes sont présentés à l'atelier n° 12 de notre programme.)

Au moyen d'extraits de films ou d'émissions de télévision (ou encore de photographies), il est possible d'apprendre à décoder le langage non verbal. Il s'agit de sélectionner des scènes basées sur des interactions et de débuter par des interactions simples (entre deux individus). La personne doit décoder le sens de ce qu'elle voit (dans le cas d'extraits audiovisuels, le son doit être éteint). Voici des exemples de questions qui peuvent accompagner l'exercice : « Que se passe-t-il ? » ; « Quel est le message transmis par tel personnage ? » ; « Quelle est l'émotion représentée ? » ; « Quels sont les gestes qui expriment telle émotion, telle action ou tel message ? » Le visionnement de plusieurs séquences et la répétition de l'exercice permettront un meilleur apprentissage. Dans un deuxième temps, lorsque la personne a acquis un certain niveau de compréhension et qu'elle se sent suffisamment à l'aise, elle peut reprendre quelques scènes en mimant le contenu non verbal. Au début, les mises en situation se déroulent entre deux personnes, puis des personnages s'ajoutent au fil des exercices afin de complexifier les interactions.

Les habiletés motrices sont également mises à contribution dans les jeux de rôles. Les habiletés fines (comme la dextérité d'un geste), générales (comme la position du corps) et la coordination des gestes s'inscrivent dans le langage non verbal. L'orientation spatiale (le fait de respecter l'espace personnel de l'autre personne) peut également être enseignée. L'objectif étant d'intégrer l'information visuelle provenant de l'environnement, tous les exemples du quotidien peuvent servir de canevas pour les exercices.

Les émotions

Les critères diagnostiques et la nomenclature liés au syndrome d'Asperger (APA, 1994 ; OMS, 1993) font état de la difficulté des personnes Asperger à soutenir un regard, à décoder le langage non verbal et à lire les émotions exprimées par le visage. Des ateliers sur les émotions et la théorie de la pensée permettent de développer ces habiletés (Hénault, Forget et Giroux, 2003) grâce aux activités de jeux de rôles et aux logiciels *Gaining Face* (Team Asperger, 2000) et *Mind-Reading* (Baron-Cohen et collab., 2004). La difficulté à interpréter les expressions du visage humain vient du fait que la personne Asperger s'attarde surtout aux détails tels que les sourcils, la bouche et les joues, sans mettre l'emphase sur le regard et sans considérer le visage dans son ensemble. Le temps d'observation est long et la tâche devient laborieuse. Comme les expressions du visage sont changeantes et rapides, l'individu Asperger n'a pas le temps de décoder une émotion que, déjà, l'expression est remplacée par une autre. Il a alors tendance à fixer l'autre (tâche d'analyse) ou, au contraire, il évite de soutenir son regard (l'individu Asperger est submergé par l'information). De nombreux exercices ont permis une plus grande mobilité du regard chez les participants. Certains gestes (poignée de main, clin d'œil, sourire, etc.) ont remplacé le regard fixe et les difficultés de décodage qui caractérisent leurs échanges. (Les exercices liés aux émotions sont présentés dans notre programme d'éducation sociosexuelle aux ateliers n°s 6 et 12.)

Les activités des programmes *Cognitive Behaviour Therapy Intervention for Anxiety* (Sofronoff et Attwood, 2002) et *Exploring Feelings: Cognitive Behaviour Therapy to Manage Anger and Anxiety* (Attwood, 2004) permettent de développer les habiletés liées à la reconnaissance et la gestion des émotions chez ces personnes. Sous forme d'ateliers de groupe, les activités échelonnées sur plusieurs séances comportent la description des émotions, un journal de bord, des questionnaires, des jeux, des réflexions ainsi qu'un projet sur les émotions.

L'appareil de rétroaction corporelle *Biofeedback Biotouch Interactive Mood Light* (Sharper Image Design, 1999) est complémentaire au programme. Cet appareil permet d'associer les réactions physiques internes (par exemple: « Je me sens nerveux ») à une couleur. En posant ses doigts sur les capteurs de l'appareil, des voyants s'allument. Le jaune et le vert sont associés au calme ou à la tristesse, tandis que les voyants orange et rouge dénotent une activation de l'organisme (positive: excitation, dynamisme; ou négative: colère ou anxiété).

La personne Asperger peut vérifier son état émotif et faire l'apprentissage des techniques de détente. Par exemple, un individu qui se sent anxieux pose ses doigts sur l'appareil, ce qui active les voyants rouges. Il consulte ensuite une fiche où différentes consignes ont été notées à son intention (avec l'aide d'un parent ou d'un intervenant). À côté du cercle rouge, il trouve les éléments suivants:

- Prendre cinq grandes respirations;
- Penser à mon champ d'intérêt spécifique;
- M'imaginer à tel endroit;
- Me retirer dans le coin détente;
- Aller me promener;
- Écrire dans mon journal de bord;
- Prendre un bain;
- Parler à mon ami.

Les stratégies sont adaptées à chaque individu et lui permettent de gérer son anxiété. Des consignes sont également associées aux voyants vert et jaune. Si la personne est calme, elle peut poursuivre ses activités, et l'intervenant peut renforcer son comportement (féliciter, récompenser, offrir un privilège, etc.). Si elle est triste, elle peut consulter une liste d'activités prévues dans ce cas, par exemple:

- Parler de mes émotions à telle personne;
- Pleurer;
- Dessiner;

- Écrire dans mon journal de bord ;
- Me reposer ;
- Lire ;
- Appeler un ami et lui expliquer ce qui se passe ;
- Pratiquer une activité liée à mon champ d'intérêt spécifique.

Il s'agit d'adapter l'outil et de proposer des idées et des activités concrètes qui correspondent à chaque type d'émotions. Avec de la pratique, la personne utilise l'appareil de façon autonome et elle applique les consignes au besoin, ce qui s'inscrit dans une démarche visant l'autonomie.

Les pensées automatiques

Les pensées automatiques et négatives ont un effet considérable sur les comportements et la confiance en soi des individus. L'outil proposé est une grille d'auto-observation (adaptée de Lazarus, 1976) basée sur les théories comportementale et cognitive en psychologie. Les pensées automatiques sont spontanées et récurrentes. Elles accompagnent les situations et les événements jugés stressants ou difficiles pour un individu. L'auto-observation permet d'analyser les situations difficiles, les facteurs de maintien et les conséquences comportementales qui découlent des pensées automatiques. La grille d'auto-observation peut être remplie par l'individu seul (voir l'exemple du tableau 3.2) ou avec l'aide d'un intervenant. L'objectif est de modifier les pensées et les comportements de l'individu afin de faire face aux situations de façon plus réaliste et positive. À partir d'un exemple concret, il doit remplir les neuf cases en répondant aux questions proposées. Les situations peuvent être aussi variées qu'une sortie sociale, une rencontre amoureuse, un nouvel emploi, un malentendu, un désir sexuel envers quelqu'un ou toute autre expérience qui crée un stress ou qui préoccupe l'individu. L'outil d'auto-observation est facile à utiliser et concret. Une grille doit être remplie pour chaque situation à observer. L'exemple présenté au tableau 3.2 illustre les pensées automatiques qui accompagnent une invitation à participer à une soirée. Celles-ci provoquent une activation physiologique (stress, anxiété, raideurs, etc.) et des émotions (peur, sentiment dépressif, incompétence, etc.). En explorant les pensées plus réalistes, la personne aura une vision plus positive et adaptée à la situation. Ainsi, l'activation physiologique sera moins intense et les émotions, moins négatives, l'objectif étant pour l'individu de contrôler ses pensées irrationnelles. Bien entendu, la répétition et l'utilisation fréquente de l'outil augmentent son efficacité. La grille d'auto-observation est présentée au tableau 3.1 (*voir page 67*), et un exemple est illustré au tableau 3.2 (*voir pages 68 et 69*).

Tableau 3.1 Grille d'auto-observation (adaptée de Lazarus, 1976)

1. Situation	De quelle situation s'agit-il? Où? Quand? Avec qui? Que se passe-t-il?
2. Comportements	Quelles sont mes actions? Décrire mes comportements.
3. Sensations	Quelles sont mes sensations physiques? • positives: • négatives:
4. Émotions	Qu'est-ce que je ressens? Quels sont mes sentiments, mes émotions, mes humeurs? Je les situe sur une échelle de 1 à 10.
5. Pensées / Images automatiques	Qu'est-ce que je pense spontanément? Mes pensées négatives:
6. Faits appuyant les pensées automatiques	Mes expériences passées: Ce qui me laisse croire à mes pensées automatiques:
7. Faits contredisant les pensées automatiques	Les faits qui sont différents des précédents: Les expériences plus positives:
8. Pensées alternatives réalistes	Qu'est-ce que je pourrais me dire? Quelle pensée serait plus réaliste? Mes pensées positives:
9. Réévaluation de l'état affectif et notes sur les changements de comportement	Comment est-ce que je me sens maintenant? J'inscris mes émotions positives sur une échelle de 1 à 10. Mes sensations sont-elles plus positives que négatives? Quels sont mes comportements maintenant?

Tableau 3.2 Grille d'auto-observation – Exemple

1. Situation	Je suis invité à une soirée. Je connais deux personnes qui y seront. Je dois prendre le transport en commun. Je n'ai rien d'autre de prévu ce soir.
2. Comportements	Je cherche mon plan de la ville. Je dois prendre une douche et repasser mes vêtements. Je téléphone pour confirmer ma présence. Je planifie mon horaire de la soirée : départ, trajet et retour.
3. Sensations	Je me sens nerveux, je tremble et ma respiration est courte. Je me sens perturbé, car je ne vais pas souvent à des soirées comme celle-là.
4. Émotions	Je suis inquiet, j'espère que tout se passera bien ce soir. J'ai peur de manquer l'autobus et de ne pas être à l'heure. Je ressens également une certaine anxiété, car je ne connais pas beaucoup de gens qui seront à la soirée. J'évalue l'intensité de mes émotions à 8/10, ce qui est élevé.
5. Pensées / Images automatiques	Tout le monde verra que je suis nerveux. Encore une fois, je vais rester seul dans mon coin. Et si les deux personnes que je connais décidaient de ne pas y aller ? Je ne sais pas comment m'habiller. Je dois être courtois avec les filles et éviter de dire des commentaires négatifs. Il faut que j'entretienne la conversation.
6. Faits appuyant les pensées automatiques	La dernière fois que je suis allé à une soirée, je n'ai parlé à personne. J'ai aussi renversé mon verre sur la jupe d'une fille, il a fallu que je m'excuse. J'aurais préféré être devant mon ordinateur.
7. Faits contredisant les pensées automatiques	Cette fois, je connais deux personnes et elles ont l'air sympathique. Je ne serai pas seul et j'ai envie de rencontrer des filles. Lors de la dernière soirée, une jolie fille m'a dit : « À la prochaine, j'espère. » Elle souhaite peut-être me revoir ? C'est samedi soir, après tout.

▶

Tableau 3.2 Grille d'auto-observation – Exemple (*suite*)

8. Pensées alternatives réalistes	Cette soirée est peut-être l'occasion pour moi de revoir cette fille? Je pourrais porter ma nouvelle chemise, elle est pas mal. Je tente ma chance et j'y vais: j'aurai peut-être du plaisir? Je ne rentre pas tard. J'ai envie de sortir de la maison. Je suis capable d'écouter une conversation. Si je trouve cela difficile, j'irai faire une pause dehors. Je dois prendre cette initiative.
9. Réévaluation de l'état affectif et notes sur les changements de comportement	J'y vais et je suis content de ma décision. Je me sens plus calme et détendu. Même si je sais que je serai nerveux, je prendrai trois bonnes respirations et je penserai aux choses positives. Je m'organise et je serai à l'heure. Je prends cette initiative et je suis fier de moi. Je reviens chez moi dès que je le veux. J'évalue mes émotions à 4/10, ce qui est moins intense et problématique.

La théorie de la pensée

La théorie de la pensée ou de l'esprit se définit par la capacité d'attribuer un état mental à soi-même et aux autres. Même si elles ne présentent aucune déficience intellectuelle, les personnes Asperger ne développeraient la théorie de l'esprit que vers l'âge de huit ans (Poirier, 1998). Adolphs, Sears et Piven (2001), et Happe (2001) proposent une explication neurologique du phénomène. Les personnes Asperger n'utilisent pas la même région du cerveau que les autres personnes lors d'actions liées à la reconnaissance des visages et dans les situations sociales. L'utilisation de l'imagerie par résonance magnétique fonctionnelle (IRM) a permis de déceler certaines parties du lobe frontal et de l'amygdale qui s'activent différemment. Young (2001) rapporte les travaux de Happe qui constate que, chez ces personnes, la reconnaissance des indices sociaux active la région du cerveau liée à l'intelligence générale et à la résolution de problèmes cognitifs. Le groupe représentant la population en général démontre une tout autre réponse, ce qui laisse croire qu'une dysfonction de l'amygdale serait responsable du jugement social erroné pouvant entraîner l'apparition de comportements inappropriés. Channon et collab. (2001) vont dans le même sens en affirmant que les sujets Asperger ont de nombreuses lacunes dans des tâches de résolution de problèmes et de conflits sociaux. Les réponses qu'ils génèrent diffèrent des solutions habituellement proposées. D'autres explications se rapportent à la pauvre cohérence centrale et au peu de flexibilité cognitive des personnes Asperger.

Le concept de l'intelligence émotionnelle se définit par la capacité de reconnaître ses propres émotions et de les gérer afin qu'elles soient appropriées aux situations, ainsi que par la capacité de reconnaître les émotions de l'autre et de gérer les relations interpersonnelles (Hess, 1998). L'enseignement soutenu doit porter sur ce qui est essentiel, pour ainsi réduire le flot d'informations qui accompagnent le décodage des expressions du visage. Les activités du livre *Teaching Children with Autism to Mind-Read* (Howlin, Baron-Cohen et Hadwin, 1999) permettent de pallier ces difficultés en enseignant la théorie de la pensée aux jeunes. D'autre part, le *Mind-Reading Software* de Baron-Cohen et collab. (2004) est un logiciel qui propose un enseignement interactif. On y présente la gamme complète des émotions, et des mises en situation abordent les notions de communication verbale et non verbale ainsi que la théorie de la pensée. Une démonstration du programme est disponible à l'adresse www.human-emotions.com.

En résumé, les outils et les interventions proposés dans ce chapitre sont complémentaires au programme d'éducation sociosexuelle. En tout temps, il est possible d'ajouter des exercices liés aux habiletés sociales à plusieurs des thèmes abordés dans notre programme : amour et amitié, comportements sexuels, émotions et sexualité, sexisme et rôles sexuels, théorie de la pensée, communication et intimité. Les interventions relatives aux compétences sociales visent un meilleur équilibre dans les relations interpersonnelles. Le but est de permettre à la personne Asperger d'explorer et de gérer ses émotions, de décoder le langage non verbal de base et de mieux comprendre les interactions sociales. En conséquence, elle sera capable de reconnaître certains événements qui entraînent les sentiments d'anxiété, d'agressivité ou de retrait. Graduellement, elle sera en mesure de faire le lien entre les situations sociales, ses pensées, ses sentiments et ses actions. Le développement des compétences sociales augmente la capacité d'établir et de maintenir les relations sociales et de prendre des initiatives, ce qui a un effet direct sur l'estime de soi (Muskat, 2003).

Comme le dit si bien Luke Jackson dans son livre *Freaks, Geeks & Asperger Syndrome* (p. 170) : « De toute ma vie, je n'ai jamais invité quelqu'un à sortir, même si je l'ai voulu plusieurs fois. Cela changera peut-être d'ici la publication du livre mais, malgré cela, je ne m'imagine pas me transformer en Casanova ! » (Traduction libre.)

Chapitre 4

Le profil sexuel des adultes : l'importance du soutien et de l'intervention

Isabelle Hénault en collaboration avec Tony Attwood

Très peu d'écrits portent sur la connaissance et la compréhension du profil sexuel des adultes Asperger. Une recherche dans ce domaine a débuté en 2001, conjointement avec le Dr Tony Attwood. Les résultats préliminaires sont présentés et analysés dans ce chapitre. Cette étude se poursuit avec l'objectif d'augmenter le nombre de participants afin d'obtenir un tableau complet de la sexualité des adultes Asperger. Les participants à cette étude ont répondu à l'*Inventaire du fonctionnement sexuel de Derogatis* (DSFI, Derogatis et Melisaratos, 1982) qui permet d'évaluer de façon exhaustive les comportements, les attitudes, les préférences sexuelles et l'imaginaire sexuel des individus. Étant donné sa nature intrusive, le questionnaire a été rempli de façon confidentielle, les participants l'ont reçu par courrier. Le DSFI mesure 11 aspects liés à la sexualité, sur la base d'une norme établie pour la population en général. Le désir, les comportements, la fantasmatique, la satisfaction et les valeurs sont quelques-uns des aspects évalués. Vingt-huit participants résidant au Canada, en Australie, aux États-Unis et en France ont répondu au questionnaire.

L'exploration de l'univers sexuel des adultes Asperger ne se fait pas sans résistance. Leur manque d'habiletés sociosexuelles ne fait qu'accroître les tabous et les préjugés entourant leur état. Les adultes Asperger présentent-ils un profil sexuel distinct de celui de la population en général ? Les réponses partielles à cette recherche en cours sont présentées ici.

Les résultats préliminaires permettent d'affirmer que les adultes Asperger ont un intérêt pour la sexualité comparable à celui de la population en général. Cependant, ils éprouvent des difficultés à communiquer, et leur manque d'habiletés sociales favorise l'apparition de symptômes dépressifs et de conduites sexuelles inappropriées. Une éducation sexuelle adaptée permet d'aborder ces difficultés, tout en favorisant l'apprentissage des comportements adéquats. Le manque de connaissances sexuelles de base, l'attitude positive à l'égard de la sexualité ainsi que l'expression du désir sexuel ont été confirmés par les résultats du questionnaire. Les données obtenues sont présentées plus loin.

L'expérimentation

Les participants

Un total de 28 adultes (19 hommes et 9 femmes) ont rempli de façon confidentielle l'inventaire DSFI reçu par courrier postal. Il faut noter que trois individus transsexuels (un homme et deux femmes) ont accepté de participer à l'étude. Les sujets sont âgés de 18 à 64 ans, et l'âge moyen est de 34 ans. Sur les 28 participants, 21 ont été formellement diagnostiqués Asperger ou ont obtenu une cote de 32 ou plus au questionnaire *Autism Spectrum Quotient* (Baron-Cohen et collab., 2001). Le ASQ mesure l'étendue des traits autistiques et Asperger chez les adultes qui ne présentent aucune déficience intellectuelle. Cinq participants ont été diagnostiqués autistes de haut niveau, alors que deux autres sujets présentent un diagnostic plus général de trouble envahissant du développement (TED) sans déficience intellectuelle. Les caractéristiques et les symptômes des participants correspondent aux critères diagnostiques du syndrome d'Asperger, tels que définis dans le DSM-IV (APA, 1994). Seize des sujets résident au Canada, neuf viennent de l'Australie et trois des États-Unis. Enfin, 15 sont célibataires et 11 vivent en couple.

Le questionnaire DSFI

Le DSFI est un questionnaire d'évaluation auto-administré subdivisé en 11 sous-échelles. Le comportement sexuel est évalué selon les connaissances, l'expérience, le désir, les attitudes, les symptômes, l'affect, l'identité de genre, l'imaginaire, l'image corporelle et la satisfaction générale à l'égard de la sexualité. Le pointage obtenu pour chacune des sous-échelles et les écarts types sont comparés aux cotes obtenues chez les hommes et les femmes de la population en général, en vue d'établir le profil des individus Asperger. Certains éléments du DSFI s'inspirent du *Brief Symptom Inventory* (BSI) (Derogatis, 1975, cité dans Derogatis et Melisaratos, 1982), un questionnaire d'évaluation des psychopathologies. Le *Positive Symptom Distress* et le *General Severity Index* ont également servi de référence dans la conception du DSFI.

Les résultats

La première étape consiste à recueillir les réponses pour chacune des 11 sous-échelles et à les compiler afin d'obtenir des moyennes globales. Dans un second temps, les moyennes des 28 participants sont comparées à la moyenne établie pour la population en général, soit 50 (Derogatis, 1982). Il est ainsi possible d'observer le profil distinct des participants. Le tableau 4.1 et la figure 4.1 (*voir page 74*) rapportent ces données.

Tableau 4.1 Résultats du DSFI

Sous-échelles	M	ET	MH	ET	MF	ET
1. Information	40	15	39	12	43	18
2. Expérience	36	11	34	11	38	12
3. Désir	42	11	43	10	40	13
4. Attitude	44	13	44	14	44	11
5. Symptômes	37	10	37	9	37	12
6. Affect	38	13	37	14	38	11
7. Rôle sexuel	49	14	45	14	58	8
8. Fantaisies	49	13	48	15	49	7
9. Image corporelle	34	12	32	8	37	18
10. Satisfaction	40	10	41	8	38	14
11. Satisfaction générale	46	12	48	12	38	11

Norme = 50, écart type de la population en général = 10

Légende
M = Moyenne générale des participants, N = 28
MH = Moyenne des hommes, N = 19
MF = Moyenne des femmes, N = 9
ET = Écart type

Quatre sous-échelles se trouvent à deux écarts types sous les résultats de la population en général, ce qui constitue une différence importante. Par ailleurs, la moyenne générale la plus faible est liée à l'**image corporelle** des participants (M = 34 ; ET = 12). Les questions portent sur le sentiment d'être désirable, l'appréciation de son propre corps et la satisfaction à l'égard de son apparence physique. Une première série d'affirmations s'adresse aux deux sexes. Par exemple : « Je suis moins attirant(e) que je le voudrais » ; « Il y a des parties de mon corps que je n'aime pas du tout » et « Je serais mal à l'aise que mon partenaire me voie nu(e) ». La deuxième section est subdivisée selon le sexe. Les hommes doivent réagir à une série de phrases telles que : « J'ai un corps bien proportionné » ; « Je suis satisfait de la grosseur de mon pénis » et « Les femmes trouvent que j'ai un corps attirant ». De leur côté, les femmes donnent leur avis sur des affirmations comme : « Je suis bien faite et bien proportionnée » ; « J'ai de

Figure 4.1 Moyennes des participants obtenues au questionnaire DSFI

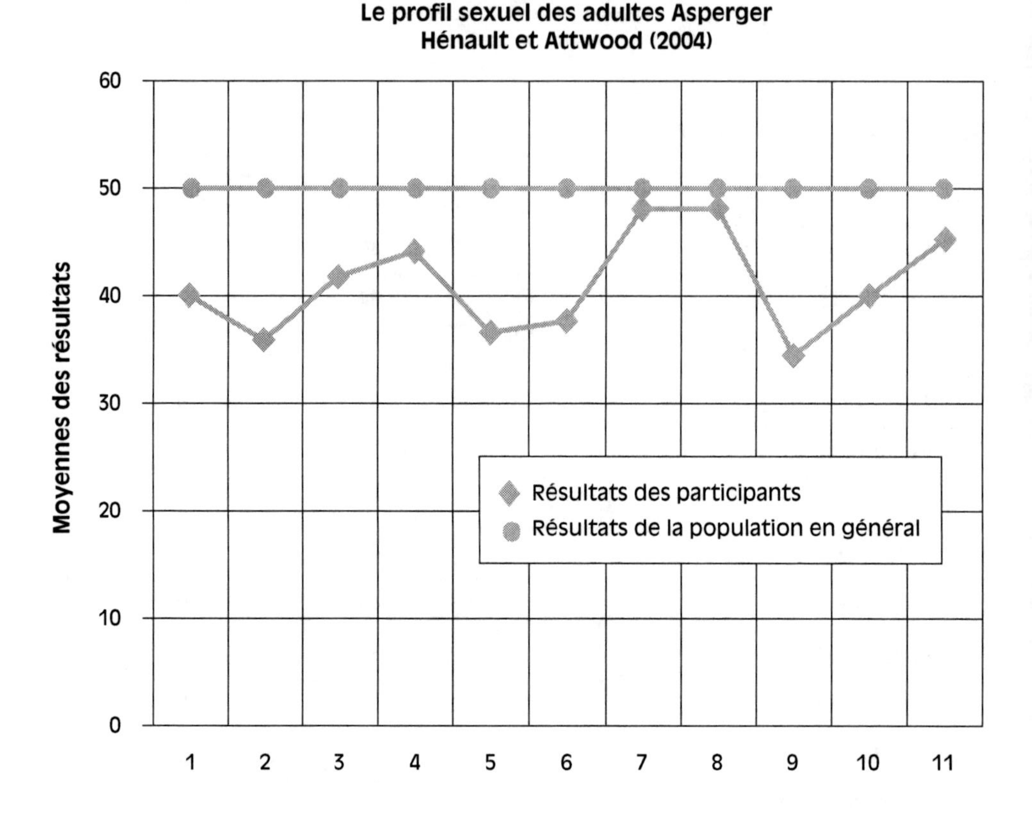

beaux seins, de belles jambes » et « Les hommes trouvent que j'ai un corps attirant ». Les résultats démontrent une pauvre image corporelle, ce qui risque d'entraîner une diminution de la fréquence des conduites sexuelles chez les sujets. Plus l'image corporelle est négative, moins l'individu sera tenté d'établir une relation intime et sexuelle avec un partenaire. Contrairement à l'hypothèse selon laquelle les personnes Asperger ou autistes de haut niveau montreraient peu d'intérêt à l'égard de l'image qu'ils projettent et n'auraient pas le souci de l'esthétique, les participants semblent bien conscients de leur image corporelle qu'ils qualifient de négative et de peu attirante. La moyenne générale des femmes (M = 37 ; ET = 18) est supérieure à celle des hommes (M = 32 ; ET = 8), qui est par ailleurs la plus faible moyenne observée parmi toutes les sous-échelles analysées. Cette différence signifie que les participantes ont une image corporelle légèrement plus positive que celle des participants. Elles apprécient davantage leur apparence physique et l'image féminine qu'elles dégagent. Néanmoins, ce résultat demeure faible comparativement à celui des femmes en général.

La sous-échelle de l'**expérience sexuelle** obtient la deuxième moyenne la plus faible (M = 36 ; ET = 11). Le DSFI demande de rapporter des expériences variées comme embrasser, caresser les parties génitales, se masturber et avoir une relation sexuelle avec pénétration. Les participants doivent aussi rapporter les comportements sexuels qui se sont déroulés au cours des deux derniers mois. Les informations complémentaires indiquent que l'âge moyen auquel l'intérêt sexuel s'est développé est de 14 ans, et que l'âge moyen de la première relation sexuelle avec pénétration est de 22 ans. De façon générale, les participants ont eu leur premier désir sexuel à la puberté, mais ils étaient âgés dans la vingtaine au moment de leur première expérience. Dix sujets sont toujours vierges (3 femmes et 7 hommes, âgés de 18 à 40 ans).

Les résultats démontrent que, toutes proportions gardées, les femmes de l'étude (M = 38 ; ET = 12) ont plus d'expériences sexuelles que les hommes (M = 34 ; ET = 11).

La présence de nombreux **symptômes psychologiques** et physiologiques caractérise les participants (M = 37 ; ET = 10). Ces résultats confirment la présence d'anxiété et de dépression chez près de 65 % des individus, comme l'ont rapporté Sofronoff et Attwood (2002). Pour évaluer cette sous-échelle, une liste de 53 éléments est présentée aux sujets qui doivent indiquer les symptômes qu'ils ont éprouvés durant les deux dernières semaines. L'agitation, la nervosité, le sentiment de solitude, l'angoisse, la crainte, les troubles digestifs, l'insomnie, les bouffées de chaleur et le sentiment de culpabilité sont quelques-unes des manifestations de leur état général. Aucune différence n'est observée entre la moyenne des femmes (M = 37 ; ET = 12) et celle des hommes (M = 37 ; ET = 9) mis à part l'écart type.

La sous-échelle de l'**affect** présente la quatrième plus faible moyenne (M = 38 ; ET = 10). La présence d'un affect teinté d'anxiété et de tristesse prédomine. Les sentiments négatifs qualifiés par les mots « malheureux », « tendu » et « amer » sont plus souvent mentionnés que les sentiments positifs tels que « énergique », « joyeux » ou « heureux ». La fréquence des émotions est aussi évaluée. Les participants doivent jauger l'intensité de leurs émotions selon cinq degrés de fréquence : jamais, rarement, quelquefois, fréquemment et toujours. De façon générale, l'intensité des émotions se situe aux extrêmes : « jamais », « fréquemment » ou « toujours ». Très peu d'émotions ont été rapportées comme ayant été ressenties « rarement » ou « quelquefois ». Cette façon catégorique de vivre et de gérer les émotions est typique de ces individus. Ils ont une conception rigide des émotions et un répertoire peu élaboré. La joie, la colère et la tristesse font partie de leur répertoire, mais les émotions plus nuancées comme être amical, comblé, honteux ou rancunier sont plus rares. Le résultat de la sous-échelle de l'affect indique que les participants ont tendance à expérimenter des émotions plus négatives que positives. Ce résultat est directement lié à une faible estime de soi et aux symptômes psychologiques et physiologiques qu'ils ont rapportés. Un affect négatif entraîne la solitude et l'isolement chez les participants. La moyenne générale des hommes (M = 37; ET = 14) n'est que légèrement inférieure à celle des femmes (M = 38; ET = 11), ce qui permet de conclure que l'ensemble des participants expérimentent sensiblement les mêmes sentiments.

Les cinq sous-échelles suivantes présentent des moyennes de 40 et plus, se retrouvant ainsi à un écart type sous les résultats de la population en général. Le questionnaire sur l'**information** (évaluation des connaissances générales sur la sexualité) est un indicateur intéressant. Le résultat d'ensemble (M = 40; ET = 15) confirme l'hypothèse selon laquelle les personnes Asperger et autistes de haut niveau ont un niveau de connaissances générales sur la sexualité jugé moyen. Les participants doivent répondre par « vrai » ou « faux » à 26 affirmations, dont voici quelques exemples: « Une femme qui a eu une hystérectomie ne peut plus avoir d'orgasmes » ; « La plupart des hommes et des femmes perdent tout désir sexuel après 60 ans » et « L'érection est causée par un afflux de sang dans le pénis ».

Malgré la soif de savoir et la grande curiosité habituellement démontrée par les individus Asperger, il est étonnant de constater que ceux-ci obtiennent un score plutôt moyen lorsqu'il s'agit d'évaluer leurs connaissances sur la sexualité. Les connaissances des participants dans ce domaine sont stéréotypées. Ce résultat est lié au peu d'expériences sexuelles qu'ils ont vécues. De plus, la plupart d'entre eux n'ont jamais suivi de cours d'éducation sexuelle, leurs connaissances proviennent principalement des médias ou d'autres sources d'information qui sont parfois biaisées. (C'est pour cette raison, entre autres, que l'intérêt à l'égard du programme d'éducation sexuelle est si grand. La curiosité, mais aussi le désir de mieux comprendre la sexualité en général, expliquent en grande partie cet intérêt manifeste.) Le manque d'information concerne les notions relatives à la physiologie, les comportements et la santé sexuelle. Dans l'étude, les femmes (M = 43; ET = 18) ont de meilleures connaissances générales que les hommes (M = 39; ET = 12).

La sous-échelle qui évalue la **satisfaction** à l'égard de la vie sexuelle présente sensiblement le même résultat que la sous-échelle de l'information (M = 41; ET = 10). Les participants doivent se prononcer sur 10 affirmations, dont voici quelques exemples: « Il n'y a pas assez de variété dans ma vie sexuelle » ; « Habituellement, l'échange de caresses qui précède le coït m'excite beaucoup » ; « Je me préoccupe souvent de ma performance sexuelle » ; etc. Malgré le peu d'expériences sexuelles, l'affect négatif et les symptômes des participants masculins, ces derniers sont tout de même plus satisfaits de leurs échanges sexuels (M = 41 ; ET = 8) que les femmes de l'étude (M = 38; ET = 14).

La sous-échelle du **désir** présente une moyenne intéressante (M = 42; ET = 11). Cette catégorie inclut la fréquence réelle des comportements sexuels (avec et sans partenaire), la fréquence idéale ainsi que la fantasmatique sexuelle. Les résultats démontrent que, malgré le peu d'expériences et la faible fréquence des activités sexuelles, le désir sexuel des participants demeure présent. La sous-échelle du désir se divise en sept sections. Les quatre premières évaluent la fréquence des relations sexuelles, du comportement masturbatoire, des caresses et des fantaisies sexuelles. Les participants sont ensuite interrogés sur la fréquence souhaitée des contacts sexuels (par opposition à la fréquence réelle), l'âge où ils ont eu un premier désir sexuel et celui de la première relation sexuelle complète. Le désir est présent, mais les occasions d'échange sont plus rares, particulièrement pour les participants célibataires. De façon générale, les hommes de l'étude (M = 43 ; ET = 10) ont plus de désir sexuel que les femmes (M= 40 ; ET = 13).

La sous-échelle qui évalue l'**attitude** à l'égard de la sexualité présente une moyenne intéressante (M = 44 ; ET = 13). De façon générale, l'attitude des participants est positive. Pour remplir cette section, les participants doivent donner leur opinion sur 30 affirmations, au moyen d'une échelle de Likert de 5 points (–2 = « pas du tout d'accord » à 2 = « entièrement d'accord »). Voici quelques exemples : « Les relations sexuelles prémaritales sont favorables à l'ajustement conjugal ultérieur » ; « L'homosexualité est perverse et malsaine » ; « Les organes génitaux humains sont d'un aspect quelque peu repoussant » et « Les fantaisies pendant la masturbation sont une forme saine d'exutoire sexuel ». De façon générale, l'absence de jugements moraux laisse une grande place aux valeurs libérales, ce qui favorise une grande ouverture d'esprit face à la diversité sexuelle (homosexualité, bisexualité ou relations avant le mariage). Aucune différence n'est observée quant aux moyennes des hommes (M = 44 ; ET = 14) et des femmes (M = 44 ; ET = 11) qui font preuve de la même ouverture d'esprit à l'égard de la diversité.

La moyenne de la sous-échelle **SSG** (satisfaction sexuelle générale), qui est composée de toutes les sous-échelles, est élevée (M = 46 ; ET = 12) compte tenu des faibles résultats liés à l'expérience et à l'image corporelle plutôt négative. Les participants doivent évaluer leur vie affective et sexuelle sur une échelle de 0 (« ne pourrait être pire ») à 8 (« ne pourrait être meilleure »). Malgré la moyenne obtenue, de nombreuses disparités sont observées. Douze participants évaluent leur sexualité comme très mauvaise ou médiocre. Seulement quatre participants en sont très satisfaits, tandis que les autres la considèrent convenable. De façon globale, la moyenne obtenue se rapproche de celle de la population en général, mais la différence entre la moyenne des hommes (M = 48 ; ET = 12) et celle des femmes (M = 38 ; ET = 11) est majeure. Les femmes sont nettement moins satisfaites de la fréquence et de la qualité de leurs rapports sexuels. Elles aspirent à plus de diversité et de satisfaction générale. De leur côté, les hommes sont plus satisfaits de leur sexualité, même si la fréquence des contacts demeure limitée. Ils considèrent que leur vie sexuelle est convenable.

Il semble que les besoins sexuels des participants soient en partie comblés par une vie **imaginaire** riche et diversifiée, comme le démontre la moyenne de tous les participants pour cette sous-échelle (M = 49 ; ET = 13). Cette richesse des images et des scénarios évoqués par les participants confirme l'existence du désir et d'un imaginaire sexuel fort développé. Une vingtaine de scénarios imaginaires sont proposés aux participants. En voici des exemples : « Porter des vêtements érotiques » ; « Avoir des fantaisies homosexuelles » ; « Avoir des relations orales-génitales » ; « Imaginer un échange de partenaires » ; etc. Le nombre de fantaisies sexuelles se rapproche de celui de la population en général (M = 50), ce qui permet de conclure à l'existence d'une vie imaginaire chez les participants. Les fantaisies homosexuelles, la pénétration, avoir plus d'un partenaire à la fois, porter des vêtements érotiques et subir des actes sexuels sont parmi les fantaisies les plus souvent mentionnées. Les hommes (M = 48 ; ET = 15) et les femmes (M = 49 ; ET = 7) rapportent sensiblement le même nombre de fantaisies. La nature et le contenu des fantasmes diffèrent d'un individu à l'autre mais, de façon générale, les fantaisies impliquent la présence d'un partenaire sexuel.

Enfin, la mesure liée à la **définition des rôles** présente la même moyenne générale que la sous-échelle de l'imaginaire (M = 49 ; ET = 14). Ce résultat indique que les participants sont en harmonie avec leurs rôles sexuels respectifs et les caractéristiques qui en découlent. En général, les participants s'attribuent les traits de caractère appartenant à leur sexe. Ainsi, les participants masculins se définissent comme catégoriques, pratiques, logiques, indépendants, routiniers et autoritaires. Ces caractéristiques évoquent celles qui sont associées au syndrome d'Asperger. De leur côté, les femmes se considèrent sentimentales, sensibles, renfermées et douces. Les participants ont une définition exhaustive de leur rôle sexuel. Le sentiment d'appartenance et l'identité de genre (le sentiment d'être un homme ou une femme) sont donc profondément ancrés dans leur personnalité. La moyenne des hommes (M = 45 ; ET = 14) est néanmoins inférieure à celle des femmes (M = 58 ; ET = 8) qui s'élève de huit points au-dessus de la moyenne des femmes en général. Ce résultat indique que les participantes se perçoivent plus aisément dans leur rôle féminin.

L'interprétation des résultats

L'image corporelle négative, le manque d'expériences sexuelles et la présence de symptômes dépressifs et anxieux contribuent au dysfonctionnement sexuel observé chez certains individus. De plus, le manque d'occasions et un environnement restrictif risquent également d'accroître la fréquence des conduites inappropriées.

Les sous-échelles du désir sexuel, de la définition des rôles et de la fantasmatique présentent des résultats significatifs. Ceux-ci confirment l'hypothèse selon laquelle les personnes autistes de haut niveau et Asperger ont des désirs sexuels et un imaginaire érotique comparables à ceux de la population en général. De plus, elles se décrivent aisément dans leurs rôles sexuels respectifs. La fréquence élevée des fantaisies sexuelles appuie le fait que les participants ont une vie imaginaire animée. Il est intéressant de souligner que la présence de fantasmes homosexuels est mentionnée par plusieurs sujets. Notons qu'il n'y a pas nécessairement de corrélation entre la fantasmatique et les comportements. Les fantasmes décrivent les préférences sexuelles et non les conduites. Cependant, la vie imaginaire informe parfois sur l'orientation sexuelle. À ce sujet, la question de l'incidence de l'homosexualité chez la population Asperger demeure ouverte. Les auteurs suspectent qu'elle est plus élevée que dans la population en général. Les résultats des sous-échelles de l'imaginaire et de la définition des rôles sont intéressants, car ils dévoilent que, de façon générale, le profil sexuel de ces individus diffère en plusieurs points de celui de la population en général, en ce sens qu'ils sont moins influencés par les normes sociales. Certains agissent en accord avec leurs désirs internes, qu'ils soient dirigés vers quelqu'un du même sexe ou non. Récemment, l'auteure a été mise en contact avec deux groupes de discussion composés d'adultes autistes et Asperger transsexuels. Vu l'existence de tels groupes, y aurait-il lieu de considérer une comorbidité entre les troubles envahissants du développement et le trouble de l'identité de genre (confusion de l'identité de genre, masculin et féminin) ? Cette hypothèse sera explorée dans la suite de la présente étude. (Par ailleurs, le chapitre 5 explore les notions de genralité et de diversité sexuelle chez les individus Asperger.)

Une autre observation se rapporte à la satisfaction des participants dans un contexte de faible fréquence des activités sexuelles. La difficulté réside peut-être dans le fait que le sujet est satisfait, mais que ce ne serait pas le cas de son partenaire. De fait, certains participants ont eu une ou deux expériences sexuelles dans leur vie et s'en sont contentés. Par contre, les adultes qui sont vierges sont préoccupés par l'idée de le rester, car ils ont peu de contacts sociaux, ce qui augmente leurs frustrations et leur état dépressif.

De façon générale, l'hypothèse de départ est confirmée. Les participants ont des désirs et des besoins sexuels comparables à ceux de la population en général, leur attitude envers la sexualité est positive, ils ont une vie fantasmatique riche et développée, mais le peu d'expériences et leur affect négatif nuisent aux échanges sexuels et sociaux. Voici une réflexion d'une participante qui exprime cet état de fait :

> « Je vis une situation délicate en présence des amoureux. On dirait qu'ils lisent sur mon visage ma solitude et mon manque d'expérience dans ce domaine. Beaucoup d'entre eux me regardent et rient… On ne peut pas faire autrement que se sentir inférieure et malheureuse. »

Les résultats de l'étude confirment l'importance de l'enseignement des habiletés sociales et sexuelles auprès de la population autiste de haut niveau et Asperger (Haracopos et Pedersen, 1999). Comme le soutient la littérature (Cornelius et collab., 1982 ; Griffiths, Quinsey et Hingsburger, 1989 ; Hellemans, 1996, 2002), un enseignement structuré et adapté aux besoins de cette population doit faire partie de l'ensemble des services offerts, mais encore faut-il qu'il soit disponible sous forme de programme. Comme le rapportent Kempton (1993) et Hingsburger (1993), plus les individus sont informés sur la sexualité, plus ils sont en mesure de faire des choix éclairés et autonomes. En plus de diminuer les risques d'abus sexuel, l'enseignement permet aux personnes autistes et Asperger d'avoir accès à une vie sociale et sexuelle enrichissante. À plus long terme, les retombées du programme d'entraînement aux habiletés sociosexuelles permettront d'accroître l'estime de soi et ainsi d'harmoniser une image corporelle pauvre, comme en témoignent les résultats du DSFI. Le développement des habiletés sociales vise à diminuer l'isolement et l'état dépressif par une attitude d'ouverture envers les autres, par l'augmentation des échanges et par l'établissement de relations amicales et intimes entre les individus.

Des analyses particulières

Certaines variables liées à l'histoire personnelle des participants offrent des explications supplémentaires. Ainsi, malgré le peu d'expériences sexuelles, 43 % des participants vivent en couple. Ces derniers ont plus d'expériences sexuelles, ce qui permet de raffiner leurs connaissances, leurs habiletés sociales et leur capacité d'intimité. Les participants ont tous vécu certaines expériences interpersonnelles (avec leurs parents, amis, conjoint, collègues de travail, étudiants de la classe), en plus de manifester un intérêt certain pour le développement des habiletés nécessaires à la création de liens d'amitié et d'intimité avec les gens de leur entourage.

Dix participants sont toujours vierges mais, de façon générale, ils ont développé un intérêt pour la sexualité vers l'âge de 14 ans, tout comme les participants qui ont eu au moins une expérience sexuelle. Les participants célibataires sont plus insatisfaits de leur vie affective et sexuelle (M = 41 ; ET = 12) comparativement à ceux qui vivent en couple (M = 52 ; ET = 11). De plus, la diversité des activités sexuelles, la fréquence et le plaisir procuré sont également plus satisfaisants chez les couples.

Une analyse des résultats obtenus par les trois participants transsexuels permet de comparer trois sous-échelles pertinentes à leur profil. Bien entendu, étant donné ce nombre restreint, il ne s'agit pas de généraliser les hypothèses, mais de tenter de mieux comprendre les variations à l'intérieur de cette population. Le résultat moyen de la sous-échelle de l'**attitude** face à la sexualité est nettement plus élevé chez les trois participants transsexuels (M = 53 ; ET = 4) que chez les autres participants (M = 43 ; ET = 13). Il indique une attitude plus positive, libérale et ouverte à l'égard de la différence. Par contre, le résultat concernant l'**image corporelle** (M = 25 ; ET = 6) est inférieur à la moyenne générale des participants (M = 35 ; ET = 13). La perception et l'appréciation du corps des sujets transsexuels sont plutôt négatives. Les interventions hormonales et chirurgicales (relatives à l'apparence de leurs organes génitaux) sont peu ou moyennement satisfaisantes chez les trois participants. Le résultat associé à la **définition des rôles** (M = 52 ; ET = 18) est également inférieur à celui de l'ensemble des participants (M = 49 ; ET = 14). Leurs réponses ne correspondent pas uniquement aux caractéristiques liées à leur sexe biologique, mais bien aux deux sexes. Ils se décrivent aisément avec les caractéristiques masculines et féminines. Ce résultat indique une plus grande harmonie que celle observée chez les autres participants.

L'importance du soutien et de l'intervention

Par définition, les individus affectés par le syndrome d'Asperger sont différents. Ils ont un profil social et cognitif particulier, de même que des habiletés de communication particulières. Leurs expériences de vie sont également distinctes. Considérés en tant que groupe, il est clair que leur désir sexuel est comparable à la norme, mais leur image corporelle est négative, leurs connaissances sexuelles sont médiocres et ils ont relativement peu d'expérience sur le plan des relations intimes. Comme mécanisme compensatoire, ils peuvent développer une vie fantasmatique, ce qui a des avantages et des inconvénients. Leur conception différente des conventions sociales peut mener à une plus grande diversité sexuelle. De plus, l'insuccès dans les relations affectives contribue au développement de la dépression ou de l'anxiété. Ces individus sont également vulnérables aux malentendus et aux mauvaises interprétations, ces individus ont de la difficulté à exprimer leurs pensées et leurs émotions et, souvent, les sensibilités tactiles peuvent entraîner des sensations désagréables ou de la douleur au moment des contacts intimes.

Les personnes Asperger ont besoin du soutien et d'une grande compréhension de la part de leur partenaire, de leur famille, de leurs amis et des thérapeutes conjugaux. Le soutien peut se traduire par une attitude d'ouverture à leur endroit et des conseils qui leur sont prodigués. Les programmes d'intervention basés sur la socialisation et les connaissances, plus particulièrement dans les domaines de l'empathie et des habiletés sociales qui se développent à la petite enfance, peuvent être suivis tout au long de l'adolescence et de l'âge adulte. Les informations portent sur la puberté, les relations amoureuses, les connaissances sexuelles, l'identité et l'intimité. L'objectif est d'offrir plus de matière ainsi qu'une expérience positive qui contribuera à bâtir l'estime de soi.

L'intervention doit s'adapter aux circonstances et au profil cognitif de l'individu. Les auteurs évaluent et développent des programmes qui s'adressent à la fois aux individus, aux couples, aux groupes d'adolescents et d'adultes Asperger, dans les domaines de l'éducation affective et sexuelle.

En résumé, ce chapitre décrit les résultats préliminaires d'une étude en cours qui représentera un plus grand nombre de sujets, ainsi qu'une analyse statistique détaillée. Un profil distinct a été détecté chez les adultes Asperger ou autistes de haut niveau. Ces résultats soulignent l'importance de la recherche empirique ainsi que celle du développement de programmes d'intervention et d'éducation adaptés au profil inhabituel de connaissances et de comportements sexuels de ces individus.

Chapitre 5

La diversité sexuelle et l'identité de genre

Depuis plusieurs années, un véritable *empire des sexes* (Dorais, 1999) s'est érigé dans la culture populaire des sociétés occidentales. Les oppositions sont marquées, les standards, les normes et la définition des genres dominent la sexualité. Pourtant, celle-ci n'est-elle pas constituée de variations personnelles, culturelles et historiques ? L'histoire de la sexualité humaine relate les époques où les individus vivaient librement leurs désirs et leurs préférences. Les mœurs et les coutumes d'alors favorisaient la différence et la diversité. De nos jours, les normes sont priorisées par la société, et la diversité sexuelle est souvent associée à la perversité. Pourtant, une partie de la population ne correspond en aucun point aux standards établis : il s'agit des garçons efféminés, des filles masculines, des androgynes, des transsexuels, des hermaphrodites et des travestis.

Des articles scientifiques, des observations cliniques ainsi que différents forums de discussion sur Internet permettent d'établir un lien entre l'identité de genre (le sentiment subjectif d'être un homme ou une femme), la diversité sexuelle et le syndrome d'Asperger. Ce chapitre propose d'explorer la sexualité des personnes Asperger sous un angle peu commun, mais qui concerne pourtant bon nombre d'individus.

La diversité sexuelle

Le précédent chapitre a fait état des résultats obtenus par 28 adultes Asperger et autistes relativement à différentes composantes liées à leur sexualité. Le résultat en ce qui a trait à la « définition des rôles » est équivalent à celui observé dans la population en général, mais c'est également un des deux résultats les plus élevés pour l'ensemble du questionnaire DSFI. Ce résultat indique que, de façon générale, les participants sont en harmonie avec leur sentiment d'être un homme ou une femme. De plus, une attitude ouverte face à la diversité sexuelle est observée à la sous-échelle « attitude à l'égard de la sexualité ». L'identité de genre des adultes Asperger est profondément ancrée dans leur personnalité, mais avec une différence majeure par rapport à la population en général : cette harmonie n'est pas dictée par les normes de la société.

Nous sommes homme ou femme, masculin ou féminin, homosexuel ou hétérosexuel. Pourquoi ces éternelles oppositions ? Dorais (1999) transcende la dualité identitaire et explore la complexité de l'être humain. Depuis plus de 20 ans, ses propos ébranlent l'édifice des idées reçues en matière de sexualité. Dans son ouvrage *Éloge de la diversité sexuelle,* il dénonce l'intégrisme et prend le parti de tous ceux qui ne cadrent pas dans les définitions établies par la société. Ses réflexions sont alimentées par son expérience en milieu clinique, en éducation et en service social. Il a côtoyé des gens qui ont souffert et qui souffrent encore de leur « différence » sexuelle et il a recueilli leurs témoignages. La population Asperger est, par sa nature même, différente. Cette différence est vécue à plusieurs niveaux, dont celui de la diversité sexuelle. Dorais (1999) dans Hénault (2000) affirme :

> « Jamais le corps et l'apparence physique n'ont été aussi valorisés [...] et pourtant, de plus en plus de gens vivent et ressentent une ambiguïté sexuelle. Ce sont les garçons féminins, les filles masculines, les androgynes, les travestis, les transsexuels, les hermaphrodites et tous ceux pour qui l'identité est beaucoup plus qu'une question de normes. C'est l'individu qui prime, avec son histoire, ses expériences et ses particularités. Pourquoi tenter de l'enfermer dans les standards sexuels en vigueur ? »

L'auteur lance donc un message en faveur de la reconnaissance et de l'acceptation de la diversité sexuelle. Selon lui, l'identité sexuelle est constituée de trois composantes essentielles : l'identité de sexe (le sexe biologique), l'identité de genre (le sentiment d'être masculin ou féminin) et l'érotisme (les préférences sexuelles). Conscient de bouleverser de grands concepts, Dorais affirme qu'il faut cesser d'associer la diversité à la perversité. Il fait également la différence entre les gens qui souffrent de leur différence et ceux qui jouent avec la diversité, comme c'est le cas des androgynes et des travestis de spectacles (ou « Drag Queens » dans le langage populaire et celui des médias). Les réactions qu'ils suscitent sont très différentes : ils fascinent et dérangent à la fois. L'auteur ajoute : « L'attrait et la répulsion se retrouvent sur une même médaille. » L'androgynie est l'expression des deux sexes, ce qui est plus ou moins permis socialement, d'où l'attrait qu'elle exerce. Dans une société puritaine, cette transgression des règles est déstabilisante. Quant aux travestis, ce sont des vedettes de la scène mais, une fois le spectacle terminé, les ambiguïtés ne sont plus permises et leur vie quotidienne est marquée de souffrances. Certains adultes arrivent à bien défendre leurs droits, mais c'est rarement le cas des jeunes et des adolescents. C'est également à l'adolescence qu'apparaît le questionnement sur l'identité sexuelle.

À la naissance, la première chose établie est le sexe de l'enfant : c'est un garçon ou c'est une fille. Très jeunes, les enfants sont exposés aux catégories de genres et, pourtant, un certain pourcentage d'individus vivent leur identité sexuelle différemment. De récents échanges avec des adolescents et des adultes ont permis d'entrer dans cette sphère encore méconnue.

Un jeune Asperger de 17 ans décide de changer son prénom pour lui donner une connotation féminine. Il répond maintenant au prénom de Patricia. Il laisse pousser ses cheveux, porte du vernis à ongles et un soutien-gorge qu'il a dérobé à sa mère. À la maison, ses parents tolèrent son comportement, mais ils l'interdisent lorsqu'il va à l'école ou lors de ses sorties. Patricia est perturbé par ses caractéristiques masculines. Il se rase deux fois plutôt qu'une et il tente de camoufler ses organes génitaux avec des vêtements amples.

Cet épisode dure près de deux ans, durant lesquels l'anxiété de Patricia est palpable. Cette situation engendre de nombreux conflits à la maison et ses parents ne savent que faire. Lorsqu'ils le questionnent sur son changement de genre, Patricia répond logiquement qu'il est une fille et que c'est pour cette raison qu'il agit ainsi. Un jour, il dit à sa mère qu'il répondrait désormais au prénom de Patrick (son vrai prénom). Étonnée, sa mère a une discussion avec lui, et c'est alors que Patrick évoque pour la première fois les raisons qui l'ont poussé à devenir Patricia. Il n'accepte pas son diagnostic d'Asperger. Son père a également de la difficulté à accepter la situation et lui dit parfois : « Cesse d'agir comme un retardé. » Pour tenter de se faire accepter, il a donc décidé d'être totalement différent, en devenant quelqu'un d'autre. Il s'est dit : « Je suis un garçon Asperger. Si je deviens une fille, je ne serai plus Asperger. » En changeant de prénom et de genre, il marquait sa différence.

Le cas de Patrick n'est pas singulier : d'autres adolescents traversent des moments difficiles, notamment en ce qui concerne l'acceptation du diagnostic. À ce sujet, Attwood (2003b, 2004a) conseille d'expliquer le diagnostic aux jeunes en faisant allusion à un « sixième sens » basé sur leurs qualités originales et leurs particularités. Il présente ensuite une liste de héros connus chez qui le syndrome d'Asperger est soupçonné ou confirmé. Afin de dresser un portrait réaliste du syndrome, il leur demande aussi de nommer ce qu'ils trouvent de bien et de moins bien chez eux. Les critères Aspie (présentés au chapitre 1), qui sont basés sur les forces et les aptitudes des individus plutôt que sur leurs déficits (Attwood et Gray, 1999b), leur sont expliqués, et différents outils sont proposés dans le but de les aider à surmonter les difficultés rencontrées (livres, programmes, activités, etc.).

Les changements (sur le plan de l'orientation ou des conduites sexuelles) radicaux et soudains indiquent habituellement une réaction à un événement ou à un état. Lorsque la diversité sexuelle est vécue sur une période de temps importante, elle marque davantage la différence quant à la personnalité et aux préférences de l'individu. Des conjointes ont rapporté les épisodes de travestissement de leur conjoint Asperger. Malgré les tabous et la peur du jugement, elles acceptent de partager certaines informations sur leur vie intime. Certaines évoquent l'aspect lié au jeu érotique. Le conjoint explore les vêtements et les accessoires féminins afin d'élargir le répertoire des activités sexuelles du couple. Libéré des tabous, il s'amuse avec le concept de la genralité.

D'autres s'adonnent au travestisme fétichiste. C'est Charles de Brosses qui a introduit le mot *fétiche,* en 1760, dans un article sur les « Dieux Fétiches ». Issu du portugais, ce terme définit ce qui est factice et artificiel. Ce n'est que 100 ans plus tard que la notion de fétichisme est introduite dans le domaine de la sexologie. Alfred Binet (1887) la décrit ainsi : « Ainsi donc, le fétichisme amoureux a une tendance à détacher complètement, à isoler de tout ce qui l'entoure, l'objet de son culte, et quand cet objet est une partie d'une personne vivante, le fétichiste essaie de faire de cette partie un tout indépendant. » Le fétichisme se rapporte à l'excitation engendrée soit par des objets inanimés, une partie du corps autre que sexuelle, une caractéristique physique ou une particularité psychologique d'un individu. L'excitation sexuelle émane de l'objet ou de la caractéristique recherchée qui constitue une condition essentielle à l'obtention du plaisir érotique. Le fétiche devient privilégié et exclusif. Il ne faut pas confondre fétichisme et préférences sexuelles, érotiques ou esthétiques. Il est tout à fait commun d'être attiré par un type d'homme ou de femme, de préférer une forme de corps particulière ou encore une nationalité.

Le fétichisme sexuel, quant à lui, se divise en trois catégories. Le **fétichisme non travestiste** est défini par l'excitation procurée en présence du fétiche (partie du corps, objet, caractéristique d'une personne). Le **fétichisme travestiste** est caractérisé par le besoin de porter des vêtements de l'autre sexe afin d'obtenir une excitation sexuelle. Ce fétichisme est souvent partiel (accessoires, bas de soie, sous-vêtements). La troisième catégorie, le **fétichisme avec composantes sadomasochistes,** ouvre la porte aux conduites sadiques ou masochistes impliquant un niveau d'agressivité sexuelle variable.

La psychologie populaire définit le fétichisme comme un moyen d'augmenter l'excitation érotique d'un individu ou d'un couple. Les accessoires, le matériel et les fantaisies érotiques ne sont aucunement considérés comme déviants ou pervers.

Le **travestisme** se définit par « la présence de pulsions, de fantasmes et de comportements marqués et persistants impliquant la recherche et l'obtention d'une excitation sexuelle obtenue par le fait de porter les vêtements ou accessoires habituellement réservés au sexe opposé » (Université du Québec à Montréal, (UQÀM) Département de sexologie, 1996).

Les conduites sexuelles travestistes et fétichistes sont observées parmi la population Asperger. Des observations cliniques et des entrevues ont permis d'explorer ces comportements chez des adolescents et des adultes. Pour certaines personnes, le recours à un fétiche permet de concrétiser l'excitation sexuelle.

Ainsi, le plaisir provient de la vue du fétiche et de son contact. Il est alors plus facile pour l'individu de se concentrer afin d'obtenir du plaisir. Une adulte Asperger a confié à l'auteure que, pour elle, il est plus simple de considérer l'acte sexuel comme l'obtention d'un plaisir provenant des sensations physiques et, parfois, d'un objet érotique. Elle ajoute que cet échange concret lui permet de ressentir le plaisir: « Mes relations peuvent sembler génitales, voire animales, car mon plaisir ne se situe pas dans l'échange affectif avec l'autre. »

D'autres individus ont recours au travestissement dans leur vie intime et érotique. Ils prêtent un sens particulier et personnel au fait de porter les vêtements du sexe opposé. Ainsi, un homme confie qu'il est plus à l'aise dans des vêtements de femme, car cela fait disparaître sa différence (d'Asperger, il devient neurotypique). Un adolescent s'habille comme sa sœur aînée afin de ressembler aux amies de cette dernière. De cette façon, il peut jouer avec elles et se sentir accepté dans le groupe. Un autre adolescent porte des sous-vêtements féminins afin de ressembler aux intervenantes qui s'occupent de lui. Le contact interpersonnel lui semble plus facile s'il est du « même sexe ». Ces individus utilisent le travestissement afin d'éliminer leur différence et de se sentir acceptés dans un groupe. Ces facteurs environnementaux sont liés à l'acceptation et au soutien que la personne reçoit. Lorsque les professeurs, éducateurs et intervenants sont des femmes, il est possible que la personne Asperger souhaite « devenir » comme celles qui l'acceptent, c'est-à-dire une femme. Certains disent qu'ils se sentent davantage acceptés en tant que travestis qu'en tant qu'Asperger. Ce type de travestissement peut être passager.

L'auteure a demandé à des adultes de s'exprimer sur la diversité sexuelle. Voici ce que l'un d'eux a déclaré:

> « Je peux seulement parler de mon expérience, je suis moins porté vers les relations dites traditionnelles et plus intéressé à savoir ce qui est dommageable et ce qui est sain plutôt qu'assumer que seule la relation du "mariage monogame" est un modèle relationnel valide. »

L'orientation sexuelle

L'orientation sexuelle est indépendante de l'identité de genre. Elle se définit par les préférences sexuelles (homosexualité, bisexualité et hétérosexualité) et non par le sentiment d'être un homme ou une femme. En effet, pourquoi une femme homosexuelle ne pourrait-elle pas dégager de la féminité et se sentir désirable ? Qu'est-ce qui empêche un homme de vivre pleinement sa masculinité en harmonie avec son orientation sexuelle, quelle qu'elle soit ? L'incompréhension et les tabous engendrent des préjugés tels que: « Une femme homosexuelle est nécessairement masculine » ou « Dans un couple homosexuel, il y a toujours un partenaire qui a un rôle masculin et un partenaire qui a un rôle féminin ». Ces préjugés ne font qu'augmenter les résistances à l'égard de la diversité et de l'orientation sexuelles. Par ailleurs, depuis un certain temps, des cliniciens et des chercheurs s'intéressent au lien entre l'orientation sexuelle, l'autisme et le syndrome d'Asperger.

Un des préjugés à l'endroit des personnes Asperger est de les considérer comme des individus asexuels, c'est-à-dire sans désirs, sans besoins et sans conduites sexuelles. L'auteure a posé la question à des adultes Asperger. Voici un résumé de ce qu'ils en pensent.

Croyez-vous qu'il y ait plusieurs personnes qui sont asexuelles ou s'agit-il d'un préjugé ?

> « Je connais des personnes Asperger qui sont principalement asexuelles, mais la majorité ont un intérêt envers la sexualité. Quelques facteurs ont un rôle dans tout cela. Les préjugés sont importants (car il est plus "facile" de s'accommoder d'un enfant asexué en tant que parent). Un autre facteur concerne l'hypersensibilité tactile de certaines personnes. Cela rend les contacts sexuels désagréables, même si leur intérêt sexuel est présent. Comme dans tous les segments de la population, il y a de la diversité, mais plusieurs personnes qui présentent le syndrome d'Asperger sont tout sauf asexuées. »

Dans certains cas, l'asexualité constitue une étape nécessaire dans le processus d'identification d'un individu mais, dans d'autres, il s'agit d'un aspect temporaire qui mène au processus d'exploration vers une transition de genre (Israel et Tarver, 1997).

L'identité et l'orientation sexuelles des individus sont idiosyncrasiques et souvent libres des tabous qui entourent la diversité des genres. Une adulte Asperger explique son attrait envers une autre personne ainsi : « Je suis attirée par la personne avant tout, par ses qualités et sa personnalité. Que ce soit un homme ou une femme, cela n'a pas d'importance pour moi. » C'est pour cela que certains individus se considèrent bisexuels ou homosexuels, voire ambisexuels. L'ambisexualité se définit comme la « coexistence égale, simultanée ou successive et **sans préférence** des conduites homosexuelles et hétérosexuelles, avec une fantasmatique d'abord **axée sur la situation sexuelle** plutôt que sur le sexe du partenaire » (UQÀM, Département de sexologie, 1996).

D'autre part, le *Lexique des termes sexologiques* (UQÀM, Département de sexologie, 1996) définit l'homosexualité comme « une orientation sexuelle caractérisée par des fantasmes, des désirs et des conduites majoritairement dirigées vers des personnes du même sexe », alors que l'hétérosexualité « concerne les personnes du sexe opposé » et que la bisexualité se rapporte à « la coexistence d'une pratique sexuelle indifféremment homosexuelle ou hétérosexuelle, avec la préférence pour une orientation ».

À ce jour, aucune donnée scientifique ne renseigne sur la prévalence de l'homosexualité parmi la population Asperger, mais l'auteure suspecte que ce taux est assez élevé. De nombreux facteurs peuvent expliquer l'orientation sexuelle. Chez les Asperger, les facteurs environnementaux et l'histoire sexuelle de l'individu sont parmi les plus influents. Si l'environnement est composé en majorité d'hommes (en se basant sur la prévalence élevée du syndrome d'Asperger chez les hommes, comparativement aux femmes), les premières expériences sexuelles, les comportements et les désirs sexuels risquent d'être orientés vers les individus qui se trouvent dans l'environnement immédiat. Un autre facteur est lié à l'attrait du semblable. Pour certains individus, il est moins intimidant d'établir une relation intime ou sexuelle avec quelqu'un de « semblable ». Les expériences sexuelles antérieures sont un autre facteur important. La personne Asperger aura tendance à répéter les expériences satisfaisantes qu'elle a vécues, qu'elles soient hétérosexuelles, homosexuelles ou bisexuelles, car la répétition et la routine font partie du répertoire comportemental de ces personnes.

D'autre part, certains individus Asperger peuvent avoir des traits, une démarche ou des caractéristiques « efféminées » tout en ayant une orientation hétérosexuelle. Des observations cliniques permettent de retracer certains comportements qui donnent l'impression d'une homosexualité superficielle : démarche élancée, délicatesse dans la motricité fine, vêtements peu conventionnels, etc. Il s'agit de stéréotypes et de clichés auxquels ces individus accordent peu d'importance, d'où certaines interprétations erronées à leur égard.

D'autres individus sont catégoriques quant à leur orientation sexuelle. Ils affichent les caractéristiques associées aux clichés, de façon parfois radicale.

Carl est un jeune homme de 20 ans préoccupé par son image. Il souhaite à tout prix afficher sa masculinité afin de plaire aux jeunes femmes. Il imite les comportements des vedettes et des modèles masculins populaires. Il s'entraîne physiquement, laisse pousser sa barbe et s'habille avec des vêtements qui laissent entrevoir ses muscles.

Pour Carl, les attributs masculins « superficiels » expriment son attirance pour les filles. Comme bien des jeunes hommes, Carl a le souci esthétique de la masculinité, mais cela peut être trompeur. Un jugement uniquement basé sur des critères visibles (vêtements, cheveux, etc.) peut parfois être équivoque, comme dans l'exemple qui suit.

Lili vient de fêter ses 18 ans. Elle attendait ce moment avec impatience. Pour cette jeune femme, l'âge adulte signifie qu'elle peut ouvertement afficher son orientation et son désir sexuel. Afin d'exprimer son attirance pour les femmes, Lili s'est vêtue de façon ultra-féminine (minijupe, talons hauts, camisole moulante, maquillage prononcé, etc.) pour aller dans un bar. Bien entendu, plus d'hommes que de femmes ont été attirés, et la soirée s'est soldée par un échec lorsqu'un homme lui a demandé si elle voulait passer le reste de la soirée en sa compagnie.

Pour Lili, il était logique d'exprimer sa féminité afin d'attirer les femmes. L'attrait du semblable était sa motivation. Par contre, l'interprétation pouvait être différente pour les gens autour d'elle. Lorsqu'elles sont perçues au premier niveau, l'image et la préférence sexuelle des personnes Asperger peuvent créer des malentendus. Certaines d'entre elles tentent d'imiter de façon rigide des images d'hommes et de femmes en se basant sur une interprétation littérale. Il faut comprendre que l'identité sexuelle se définit par un ensemble de caractéristiques qui vont au-delà de l'image projetée par un individu.

Pour d'autres individus, l'image et l'orientation sexuelle sont flexibles. L'attirance s'exerce envers la personne, peu importe son sexe. Des adultes ont confié à l'auteure avoir eu comme partenaires des femmes et des hommes. Ces adultes ne se considèrent pas comme bisexuels mais ambisexuels. Dans la population Asperger, la sexualité s'exprime à travers de multiples facettes.

Des adultes autistes et Asperger, homosexuels et bisexuels se sont regroupés afin d'obtenir une reconnaissance ainsi que du soutien et des services professionnels adaptés à leur réalité. Ces groupes d'information et de soutien permettent aux membres d'échanger des conseils et de discuter de leurs préoccupations. Certains dénoncent le silence des professionnels qui ignorent leur condition ou qui les surnomment les *queers*, c'est-à-dire ceux dont la sexualité est différente et non conformiste. Le diagnostic d'autisme ou de syndrome d'Asperger éclipse celui de l'orientation sexuelle. Plusieurs adultes ont vécu leur vie comme homosexuels ou bisexuels sans être diagnostiqués Asperger. Pour certains, cela a facilité leur existence, même s'ils étaient considérés comme étranges ou différents. Pour les plus jeunes, la situation est différente. Le double diagnostic (celui de l'orientation sexuelle et du syndrome d'Asperger) ne facilite pas nécessairement les choses. L'enfance supprimée (sur les plans de la diversité, des besoins et des désirs sexuels) peut en quelque sorte amplifier les symptômes liés à l'autisme. L'ouverture aux autres, les relations interpersonnelles, l'expression des émotions et la communication sont les domaines les plus touchés.

Sur le site http://members.optusnet.com.au/tlang1/autgay.htm, un adulte explique les difficultés qu'il a dû surmonter à cause de ce double diagnostic (syndrome d'Asperger et orientation sexuelle). Son diagnostic d'Asperger a engendré le déni de ses besoins et de ses fantasmes qui étaient enfouis si loin qu'il n'en avait plus conscience. Comme plusieurs individus, il a longtemps cru qu'il était le seul à vivre cette dualité. Sa faible estime de soi et son niveau de stress élevé ont accru ses difficultés. Grâce aux groupes de soutien et aux discussions sur Internet, il a finalement réalisé autre chose : « Je suis l'une des nombreuses personnes qui tentent de trouver leur place dans le monde. » (Traduction libre.)

Les échanges via Internet permettent aux personnes Asperger d'interagir avec plusieurs autres personnes. Lorsqu'elles abordent un sujet aussi intime que leur sexualité, la confiance et l'estime de soi s'en trouvent améliorées.

Des adultes autistes et Asperger se prononcent sur l'orientation sexuelle :

> « À l'école, j'utilisais différentes stratégies et je niais complètement mes sentiments homosexuels. Étant qualifié "d'étrange", c'était suffisant pour que ma sexualité ne soit pas questionnée. Devenir "asexué" n'était pas une option que j'envisageais, il était clair que je ne l'étais pas. »

> « Pour ce qui est de la sexualité des personnes autistes, l'hypersensibilité et l'aliénation sociale les affectent grandement. Je ne suis pas certain si l'homosexualité, lorsqu'un individu s'y identifie, est sur le continuum de l'autisme ou si les personnes autistes sont simplement plus ouvertes d'esprit. »

Cette réalité est vécue par plusieurs comme douloureuse. C'est pour cette raison que le soutien est primordial. L'acceptation et l'estime de soi se développent par le biais des réflexions et des échanges basés sur le respect. Différents groupes de soutien peuvent apporter une aide considérable. Par ailleurs, le travail thérapeutique permet de traiter le sujet en profondeur. L'information et l'éducation sexuelle sont d'autres outils non négligeables. (Différents exercices de réflexion sont présentés dans notre programme d'éducation sociosexuelle, à l'atelier n° 8.)

L'identité de genre

L'identité de genre se définit comme « le sentiment profond d'individuation, de différenciation et d'appartenance à l'un ou l'autre sexe qui s'élabore progressivement au cours du développement psychosexuel d'une personne » (UQÀM, Département de sexologie, 1996). Selon Dorais (1999), l'égalité des genres est loin d'être atteinte, car le féminin est toujours considéré comme inférieur. Il donne l'exemple suivant : « Une fille qui a des tendances masculines sera honorée, surtout si elle excelle dans les sports ; elle deviendra même une fierté. Alors qu'un garçon qui veut devenir coiffeur, danseur de ballet ou patineur artistique ne sera pas nécessairement encouragé. Tant et aussi longtemps qu'il n'y aura pas d'égalité des genres, il n'y aura pas d'égalité des sexes. » (Hénault, 2000.)

L'expression de la genralité prend différentes formes comme le travestisme et le transsexualisme. Le travestisme englobe une série de fantasmes et de comportements impliquant la recherche et l'obtention d'une excitation sexuelle par le fait de porter des vêtements ou des accessoires de l'autre sexe. Selon le *Lexique des termes sexologiques* (UQÀM, Département de sexologie, 1996), le travestisme n'est pas considéré comme un trouble de l'identité sexuelle. Toutefois, pour certains, le travestissement (l'action de se travestir) va au-delà des motivations sexuelles et concerne davantage l'identification à l'autre sexe. Le sentiment d'appartenance à l'autre sexe, le malaise ou l'inadéquation quant à son propre sexe anatomique peuvent mener jusqu'à la chirurgie. Le transsexualisme se définit par un souhait permanent de transformation des organes génitaux pour pouvoir ainsi s'identifier au sexe opposé. Environ 1 homme sur 20 000 et 1 femme sur 50 000 sont transsexuels. L'acceptation de l'identité de genre est en cause et, pour certains, le seul moyen d'y parvenir est la transformation physiologique. Les symptômes qui accompagnent souvent cet état sont une faible estime de soi, l'isolation sociale, la détresse psychologique et la dépression (*Gale Encyclopedia of Psychology,* 2001).

Le DSM-IV (APA, 1994) considère le transsexualisme comme un trouble de l'identité sexuelle. Israel et Tarver (1997) affirment, quant à eux, « qu'il n'y a aucune raison pour que les psychiatres ou tout autre professionnel de la santé ne puissent prendre la responsabilité de reconnaître les problèmes liés à l'identité de genre sans nécessairement les étiqueter comme des désordres. » (Traduction libre, p. 25.)

L'erreur commune est de considérer l'orientation sexuelle comme indissociable du conflit d'identité sexuelle. De fait, il est primordial d'établir la préférence sexuelle (l'attirance envers les hommes ou l'attirance envers les femmes). Moebius (1998) avance l'hypothèse selon laquelle le trouble de l'identité de genre serait l'une des premières manifestations de l'homosexualité d'un individu. Près de 75% des garçons aux prises avec un conflit de genralité sont d'orientation homosexuelle ou bisexuelle (*Gale Encyclopedia of Psychology,* 2001). L'interprétation de Zucker et Bradley (1995, cités dans Moebius, 1998) est à l'opposé : ils affirment que, même si un nombre important des individus qui ont un trouble de l'identité ont une orientation homosexuelle, cela ne veut pas dire que les individus homosexuels ont nécessairement vécu un trouble de l'identité sexuelle durant l'enfance. Les auteurs suggèrent plusieurs facteurs qui contribuent au développement d'un trouble de la genralité. L'enfant s'identifie au sexe opposé, car ce sexe est perçu comme rassurant, sécurisant ou de valeur supérieure. Les comportements et attitudes attribuables à l'autre sexe constituent un mécanisme de défense qui permet de diminuer l'anxiété. Les facteurs environnementaux, le système familial, la socialisation, les hormones à l'état prénatal et la densité neuronale de l'hypothalamus seraient également en cause (*Gale Encyclopedia of Psychology,* 2001 ; Stonehouse, 2003 ; Zucker et Bradley, 1995, cité dans Moebius, 1998).

Les individus transsexuels explorent tout le continuum de l'orientation sexuelle, de l'attraction envers les individus du même sexe jusqu'à l'attraction envers l'autre sexe. Selon Israel et Tarver (1997), certains individus évoluent dans leur préférence, tandis que d'autres demeurent incertains quant à leur orientation sexuelle. Certains adultes interrogés affirment qu'ils ont toujours su quelles étaient leur identité de genre et leur orientation ; d'autres les ont découvertes après la puberté.

À ce sujet, voici la réflexion d'une adulte transsexuelle (homme devenu femme) :

> «Très jeune, j'étais verbale. De plus, j'inventais mes propres mots pour décrire des concepts qui étaient bien au-delà de mon vocabulaire. J'explosais de rage lorsque les autres ne me comprenaient pas. Comme la plupart des enfants autistes, je faisais des crises qui duraient des heures.
>
> «L'origine de mon conflit de genre est difficile à identifier. Je le savais déjà à l'âge de 13 ans, lorsque j'ai entendu pour la première fois parler de l'existence de la chirurgie de changement de sexe. Comme enfant, si quelqu'un me le demandait, je disais que j'étais un garçon, car c'est ce que tout le monde me disait. Pourtant, je n'appréciais pas les choses que les garçons aimaient. Mon jouet préféré était une poupée-garçon parlante, offerte par mère, contre le gré de ma grand-mère.
>
> «Je n'ai pas agi au plan de ma genralité jusqu'à ce que je déménage, à l'âge de 30 ans. J'ai tenté d'en parler avec mes parents et aux intervenants pendant mon adolescence, mais ils attribuaient le problème à mon insécurité et à ma paralysie cérébrale. C'est après une dépression majeure et une hospitalisation que j'en suis venue à m'accepter et à débuter mon processus de transition.
>
> «J'ai rapidement compris que mon histoire ne correspondait pas à celle des autres transsexuels. Je ne suis pas très sociable, les femmes de notre société sont censées être des créatures sociales. Je ne suis pas non plus hyperféminine ni extrêmement masculine, mais plutôt entre les deux, ce qui semble en accord avec le profil génétique des femmes présentant le syndrome d'Asperger. C'est pour cela que, pendant longtemps, je me suis demandé si j'avais fait la bonne chose avec la chirurgie. En discutant avec des femmes, j'en suis venue à la conclusion que si j'étais née avec le sexe féminin, je serais probablement la même que je suis maintenant.»

Au sujet de l'orientation sexuelle, elle ajoute :

> «Pour ce qui est de ma préférence sexuelle, j'étais plutôt asexuelle. Je n'étais pas particulièrement attirée par les deux sexes, jusqu'à ce que je débute la prise d'hormones féminines. C'est à ce moment que j'ai eu du désir pour les hommes. Ainsi, j'ai eu ma première relation sexuelle à l'âge de 37 ans, après ma transition.»

Les premières manifestations du conflit lié à l'identité de genre sont observables entre l'âge de 2 et 4 ans. La préférence pour les vêtements et les jeux du sexe opposé est habituellement rapportée par les parents (*Gale Encyclopedia of Psychology,* 2001).

Pourtant, plusieurs enfants et adolescents explorent la genralité sans que cela devienne problématique. L'auteure a évalué le cas d'un jeune Asperger de 13 ans.

Les parents de Manuel sont inquiets des comportements de ce dernier. Depuis près de un an, il agit comme s'il était une fille. À la maison, il porte des jupes et du rouge à lèvres et affirme qu'il est enceinte. Ses parents interdisent ces comportements à l'école et lors des sorties. Ils s'inquiètent pour leur fils et craignent les conséquences de ses conduites sur ses relations sociales. À l'école, il n'a pas d'amis proches, il préfère être seul. La fin de semaine, il joue au théâtre (il chante, danse et se costume). Il fait des représentations devant ses parents et les amies de sa sœur aînée. Au premier contact, Manuel est timide et il évite de me regarder. Il ne comprend pas pourquoi il doit me parler de lui, c'est pourtant simple et évident qu'il est une fille, me dira-t-il. Après avoir discuté de ses champs d'intérêt, de la musique qu'il aime, des activités qu'il fait avec sa sœur et les amies de celle-ci, il se montre plus disposé à parler de sa «grossesse» imaginaire. Il lève son chandail pour dévoiler son ventre (qui est plat) et il affirme porter un bébé. Décodés à un premier niveau, ses dires peuvent ressembler à une manifestation psychotique (les personnes Asperger ont longtemps été diagnostiquées psychotiques ou schizophrènes car, citées hors contexte, leurs paroles ou leurs comportements sont parfois étranges) mais, dans le cas de Manuel, il s'agit plutôt d'un imaginaire riche en images.

À la deuxième rencontre, nous avons dessiné des garçons et des filles en train de faire les activités qu'il aime et je lui ai demandé qui le représentait le mieux sur le dessin. Il a rapidement pointé le garçon. Il a ensuite pointé la fille en disant qu'elle me ressemblait. Lorsque je lui ai demandé les personnages qu'il préférait, il a pointé les filles. Par la suite, il s'est approché de moi pour voir si je portais du vernis sur mes ongles. Il a attiré mon attention sur le vernis qu'il portait aux orteils. Il m'a dit que les filles étaient belles (surtout les blondes!), qu'il était amoureux d'une adolescente de son école et qu'il souhaitait son amour en retour. À la fin de la séance, il a chanté et dansé en imitant son groupe de musique préféré (dans son petit théâtre). Sa mère confirme qu'il s'identifie beaucoup à ce chanteur (qui est un garçon), mais il me rappelle que lui, il est une fille. Cette alternance (entre les genres) a permis d'explorer les caractéristiques attribuables aux garçons et aux filles. Manuel apprécie les garçons, mais il préfère la présence des filles. Quant aux autres symptômes, il ne démontre pas de signes d'anxiété ou de dépression. Il est isolé mais ne s'en plaint pas car, dans son imaginaire, il y a beaucoup de personnages et d'amis. À la suite de ces rencontres, j'ai proposé à ses parents de remplir le questionnaire « Gender Identity Profile » (Israel et Tarver, 1997) afin d'explorer son identité, son attirance sexuelle et ses comportements. L'analyse des résultats démontre qu'au moment présent, rien n'indique un conflit d'identité chez Manuel. Ce dernier explore et s'amuse avec les deux sexes, ce qui est commun chez les prépubères. Habituellement, l'identité se fixe à la puberté. Par ailleurs, un suivi et des recommandations ont été proposés afin d'orienter les conduites de Manuel et de lui apporter du soutien.

Le *Gender Identity Profile* (Israel et Tarver, 1997) comporte 40 questions sur l'imaginaire, les comportements, le travestisme, les conduites sexuelles, les démarches entreprises (thérapie hormonale, électrolyse, chirurgie, etc.), les désirs et les symptômes psychologiques (dépression, anxiété, etc.). Dans un document complémentaire, le Dr Israel (communication personnelle) a ajouté une série de questions relatives aux personnes autistes. Elle s'intéresse au lien entre l'autisme et le conflit de genralité, et recommande un suivi et des interventions auprès de la clientèle transsexuelle atteinte du syndrome d'Asperger.

Rosenberg (2002) favorise le traitement basé sur l'acceptation de soi et l'éducation, au détriment des traitements qui visent à décourager les individus de s'identifier à l'autre sexe. Le travail vise à consolider l'estime de soi et l'acceptation, ce qui permet d'obtenir de meilleurs résultats. Israel et Tarver (1997) proposent également des outils concrets (questionnaires, lettres, ressources) qui facilitent les démarches des individus qui désirent la chirurgie.

À ce jour, l'identité de genre, le transsexualisme et l'autisme ont fait l'objet de quatre articles scientifiques (Mukaddes, 2002). L'étude d'Abelson (1981) est la première à évaluer le développement de l'identité de genre chez un enfant atteint d'autisme. Les études cliniques rapportent un ratio de sept garçons pour une fille qui présentent un conflit de genralité (Zucker et Bradley, 1997). Les trois autres articles rapportent des comportements de travestisme, et Landen et Rasmussen (1997) émettent l'hypothèse d'une comorbidité entre l'autisme et le transsexualisme. Une prédisposition pour des préoccupations inhabituelles, l'environnement, les difficultés du développement socioaffectif et l'attachement aux objets féminins sont les principaux facteurs évoqués par les auteurs des articles.

Le lien entre l'autisme, le syndrome d'Asperger et le transsexualisme a été peu exploré, mais les résultats de l'étude de Cohen-Kettenis (2003) auprès de 488 enfants âgés de 3 à 12 ans évalués à la *Child and Adolescent Gender Identity Clinic* de Toronto (Canada) et à la *Gender Clinic* d'Utrecht (Pays-Bas) démontrent que le niveau de compétence sociale de ces enfants est inférieur à la moyenne. De plus, les relations avec les pairs sont plus pauvres chez les garçons de l'étude. Ces caractéristiques sont également associées au syndrome d'Asperger, bien que Cohen-Kettenis (2003) ne fait pas de lien entre les deux troubles. L'hypothèse d'un lien entre le syndrome d'Asperger et le trouble de la genralité suscite d'intéressants débats. Pour certains, il s'agit d'une continuité dans la différence. Une femme transsexuelle de l'étude de Cohen-Kettenis (2003) confie que, très jeune, elle était consciente de sa différence et que sa sexualité a suivi la voie de la diversité. Elle ne considère pas que les deux conditions sont étrangères. Une autre participante de cette étude affirme que l'autisme ou le syndrome d'Asperger est une manifestation de son conflit de genralité. Lorsqu'ils étaient jeunes, des individus Asperger ont reçu différents diagnostics : « névrose due à l'identification au sexe opposé » ; « psychose impliquant un délire dans l'identité de genre » ; « asocialisation et travestisme » ; « autisme non spécifié et trouble de l'identité de genre » et « schizophrénie et anxiété de castration ». Le double diagnostic est une réalité chez certains individus Asperger.

Questionnés sur leur compréhension de cette double condition, des adultes (autistes, TED et Asperger) s'expriment dans un forum de discussion sur Internet :

> «Si une fille agit et s'habille de telle façon, je devrais être une fille dans un corps de garçon. De plus, il y a une différence entre agir comme une fille et souhaiter devenir une fille.»
>
> «Mon trouble de l'identité s'est d'abord concentré sur mon corps, le conflit n'émergeait pas de l'implication sociale d'agir et d'être comme une fille mais bien d'avoir le mauvais corps.»
>
> «Les attentes face à l'identité m'ont toujours dérangé. Cela me dérange que le trouble de l'identité soit répertorié dans le DSM. L'identité est un phénomène culturel. C'est irritant de constater que la science tente de traiter les problèmes culturels, au même titre qu'elle traite le cancer. Je crois que l'autisme est aussi un problème culturel. Si l'autisme était considéré comme une série de traits de personnalité ou d'un tempérament (comme dans les cours sur le développement professionnel), je crois que notre contribution au monde serait significative et unique.»
>
> «Un des dangers que j'observe est lorsque les jeunes gens sont contraints de s'adapter aux attentes de la société sans les opportunités et les outils pour se découvrir eux-mêmes. C'est ce qui m'est arrivé, j'en suis encore à me découvrir et à négocier avec mes traits qui émergent à nouveau. Heureusement, ma mémoire emmagasine les informations, les petits détails de mes émotions enfouies sont toujours intacts.»

Pour certains, les TED (incluant l'autisme et le syndrome d'Asperger) constitue la condition première de l'émergence du conflit de genralité. Cela a du sens, car la genralité se stabilise à la puberté, tandis que les symptômes des TED sont observés dès l'âge de 3 ou 4 ans. Bien que le conflit lié à la genralité soit rapporté chez de jeunes enfants (de 3 à 7 ans), très peu d'écrits portent sur le sujet. Les données proviennent davantage des études cliniques. Chez les jeunes, l'aspect concret et pratique du genre se manifeste par le corps, tandis que chez les adultes, les manifestations de la genralité sont plus complexes.

Martine Stonehouse, une femme transsexuelle dans la quarantaine, a écrit son autobiographie, intitulée *Stilted Rainbow: The Story of My Life on the Autistic Spectrum and a Gender Identity Conflict* (2002). Vers l'âge de 7 ans, elle a été admise en psychiatrie pour diverses évaluations sociales et psychiatriques. Dès son enfance, Martine manifestait « une pauvre image de soi et une identité confuse ». Son psychiatre mentionnait également une anxiété de castration et un comportement efféminé. Elle a depuis lutté pour la reconnaissance des droits des personnes transsexuelles, elle est membre d'un groupe de discussion pour les TED et les transsexuels, en plus d'être citée dans différents journaux et magazines, dont le *Toronto Star* et *XTRA Magazine*. Voici un extrait de son autobiographie.

«Et puis, la puberté est arrivée, causant plusieurs bouleversements dans ma vie. Je sentais que quelque chose n'allait pas et que je ne me développais pas comme je l'aurais cru. Jusque-là, je ne m'identifiais pas à un genre en particulier, j'étais moi-même. J'étais plus sensible à la genralité féminine, mais je ne la recherchais pas activement. À ce moment, mon corps était forcé vers une genralité.

«Comme pour tous les changements, j'avais de la difficulté à accepter ceux-ci. Le corps des filles se développait différemment du mien et je ne savais pas pourquoi. J'ai commencé à me sentir aliénée et confuse à propos de moi ; j'avais plusieurs interrogations mais personne pour m'aider. Au cours de mon développement, les poils ont commencé à pousser sur mon visage et le reste de mon corps. Je me sentais comme un gorille ou un loup-garou. Ma voix était toujours aiguë, des petits seins se sont développés, mais je n'étais pas comme les autres filles. Je me suis sentie trahie en devenant un homme. Je devenais le monstre d'un film d'horreur.

«À l'école, certaines filles me taquinaient de façon suggestive, ce qui me mettait mal à l'aise. J'étais attirée par quelques-unes en même temps que je les enviais. Je ne faisais pas partie de leur monde, même si je me sentais exactement comme elles. Durant l'adolescence, je n'ai pas eu de relations intimes [...].

«[...] Pour faire face à tout cela, je me suis concentrée sur mon intérêt particulier qui consiste à collectionner les plaques d'immatriculation. À un moment de ma vie, les gens n'étaient pas importants pour moi, car je jugeais plus sécuritaire de pratiquer mes activités préférées que d'être avec les gens [...].

«[...] En juin 1994, j'ai fait la transition d'homme à femme. Je me sens maintenant plus à l'aise et je n'ai jamais regardé en arrière. Il y avait pourtant encore un aspect de ma vie qui était non résolu, mais je ne savais pas encore de quoi il s'agissait. Un commentaire de mon superviseur : "Je ne peux t'enseigner le sens commun ; c'est quelque chose que tu as ou pas", m'a permis de dénouer les mystères de mon enfance. J'ai cru que j'avais un trouble du déficit de l'attention mais, avec un spécialiste, nous en avons appris plus : je me situe sur le continuum de l'autisme, j'ai un trouble qui se nomme le syndrome d'Asperger. »

(Stonehouse, 2002, traduction libre.)

Voici un poème compris dans le recueil écrit par Martine :

Un androïde autiste

Ce monde où je vis m'est si étranger. Comment suis-je arrivé ici ?
Pourquoi suis-je si différent ?

Avide d'être comme vous tous, mais incapable de m'ajuster
à votre monde.

Vos manières me paraissent insolites, et déchiffrer vos coutumes
semble perdu d'avance.

Tel un scientifique d'un autre monde, je vous observe pour apprendre
comment agir

Afin d'imiter votre comportement et de faire ma place parmi vous.

Mais ce sont vos émotions et vos sentiments que je n'arrive
pas à saisir,

Car je suis un androïde autiste, non programmé pour les sentiments.

Je vis dans un monde de logique et de faits, inapte à comprendre
les relations entre les humains.

Je voudrais tant ressentir ce que vous exprimez, découvrir la joie
qui vous habite et le rire qui jaillit,

Comprendre ce qu'est l'amour, m'évader de moi-même

Et faire l'expérience d'un monde dépourvu de logique. Je devine
qu'il n'en sera jamais ainsi,

Car ces sentiments ne sont pas inscrits en moi.

Un jour, peut-être, trouverai-je un androïde comme moi, un compagnon
que je comprendrai

> Et qui me comprendra.
>
> Car une relation avec un Terrien est certainement vouée à l'échec
>
> Puisque leur façon d'entrer en contact me déroute, tout comme je les déroute.
>
> Il doit bien exister d'autres androïdes comme moi, venus de notre lointaine planète appelée Autisme.
>
> La solitude me pèse sur cette planète appelée Terre dont les habitants me sont tellement étrangers.
>
> Alors, je fouille cette planète sans relâche à la recherche d'autres comme moi
>
> Afin qu'ils se joignent à ma quête. Ensemble nous pourrions explorer la planète et discuter de nos découvertes
>
> Avec notre logique commune.
>
> J'envoie donc un message, un message à tous les autistes où qu'ils soient, dans l'espoir de trouver un compagnon.
>
> Nous serons là l'un pour l'autre dans ce monde si étrange, sachant que nous nous comprenons,
>
> Rassurés de savoir que nous comptons pour quelqu'un.
>
> Y a-t-il quelqu'un quelque part ?
>
> (Martine, 2002, traduction libre.)

Les sujets de la diversité sexuelle et de la genralité sont caractéristiques du syndrome d'Asperger. La présence des symptômes psychologiques associés à l'incompréhension de l'entourage, aux réactions des pairs et de la famille ajoute aux difficultés de certains individus. Une vision pathologique de la genralité ou de l'orientation sexuelle les confine dans l'anomalie, les pousse vers la déviance et empêche tout dialogue avec les professionnels de la santé.

Ce domaine mérite qu'on lui accorde davantage d'études afin de permettre une meilleure compréhension des facteurs en cause dans le développement de la genralité, de même que la mise en place d'interventions pertinentes qui apporteront un soutien adapté aux individus.

Chapitre 6

Le couple, l'intimité et la sexualité

Le thème des unions soulève de nombreuses questions quant à l'ajustement entre un partenaire Asperger et un partenaire neurotypique ou encore, quant à l'union de deux conjoints Asperger. À l'intérieur du couple, l'expression des traits et des comportements associés au syndrome d'Asperger varie en fonction d'une multitude de facteurs: expérience conjugale antérieure, dévoilement et acceptation du diagnostic, qualité de la communication, situation familiale, soutien mutuel, motivation des partenaires, etc. Le présent chapitre aborde les constituantes du couple telles que l'intimité, l'empathie, le désir sexuel, l'engagement et la thérapie de couple. La réflexion d'un adulte Asperger sur le thème du couple et de la sexualité est présentée en guise de conclusion.

L'intimité

Le concept d'intimité est difficile à définir et, pourtant, il s'agit de la constituante principale des relations de couple. Le mot « intime » vient du latin *intimus* qui désigne ce qu'il y a de plus intérieur. Dubé (1994), McAdams (1988) et Weiss (1973) définissent l'intimité comme un besoin qui s'exprime par une préférence pour des relations d'échange et d'affectivité avec l'autre. C'est également une faculté qui permet de satisfaire le besoin d'être rassuré sur sa propre valeur et qui permet aussi de s'intégrer socialement. Erickson (1963) souligne que la capacité personnelle de s'engager vis-à-vis d'une autre personne implique l'acceptation des sacrifices et des compromis liés au maintien de l'engagement. Hatfield (1984) ajoute que l'intimité est un processus par lequel deux individus essaient de se rapprocher l'un de l'autre afin de se connaître dans ce qu'ils ont de plus profond. Les aspirations personnelles tendent à être comblées par la relation d'intimité.

Chaque individu a sa propre idée sur ce qui constitue l'intimité et chaque couple en a sa propre expérience. Pour certains, l'intimité correspond à une promenade main dans la main, au partage des émotions, à un repas au restaurant, à un contact amoureux ou sexuel. Pour d'autres, il s'agit d'un concept vague qui se rapporte à bien peu de choses concrètes. Cela ne signifie pas que ces personnes n'ont pas envie de partager de l'intimité avec un partenaire, mais le fait est que certains individus Asperger ont peu d'expérience dans le domaine des relations interpersonnelles. Le manque d'intimité et la pauvre qualité des rapports entre les conjoints sont parmi les principales sources de mécontentement des couples. La satisfaction quant aux rapports sexuels (en ce qui a trait à la fréquence et à la qualité) n'est pas un gage de réussite de la vie intime d'un couple. Certains partenaires neurotypiques rapportent que leur conjoint ou conjointe Asperger considère que la satisfaction du couple se résume à une vie sexuelle active. La sexualité est l'une des composantes de l'intimité, mais non l'unique. Cette compréhension « concrète et tangible » de l'intimité correspond assez bien au profil Asperger, mais elle mérite d'être élargie.

Le désir sexuel

Le désir sexuel est également une composante de l'intimité dans le couple. Il se définit par une énergie (la libido) et l'envie d'un rapprochement avec l'autre. Les manifestations du désir sexuel sont nombreuses ; elles peuvent prendre la forme d'un comportement (rapprochement physique, caresse sexuelle, etc.), d'un désir affectif (proximité, échanges, etc.) ou d'un désir émotif (ressenti, expression et partage de sentiments). La plainte la plus couramment adressée aux thérapeutes conjugaux concerne la baisse du désir sexuel, que celle-ci soit vécue par un seul ou les deux membres du couple. Plusieurs éléments sont à considérer lors d'une baisse du désir. Il est important d'évaluer si celle-ci est passagère ou si elle s'est graduellement installée. Dans le premier cas, il est possible que le stress, le surmenage, l'anxiété, une situation précaire ou un ajustement dans le couple précipitent cette situation. Quatre facteurs liés à la dynamique conjugale permettent d'explorer une baisse de désir en lien avec les habitudes du couple.

Le premier élément concerne la baisse de la fréquence des activités sexuelles. Il est important d'évaluer la fréquence réelle par rapport à la fréquence souhaitée. Il est curieux de constater un écart important quant à la perception des hommes et celle des femmes de la population en général. En effet, les hommes ont tendance à surestimer le nombre de contacts sexuels sur une période donnée, tandis que les femmes procèdent inversement. Cette différence est peu observée chez les couples dont le conjoint (ou la conjointe) est Asperger. Habituellement, ceux-ci rapportent la fréquence des activités sexuelles avec exactitude. Dans d'autres cas, le conjoint semble « amnésique » lorsqu'il est question de la fréquence. Habituellement, les individus Asperger se satisfont davantage d'une faible fréquence des activités sexuelles que la population en général (Hénault, Forget et Giroux, 2003). Le peu d'expériences sexuelles et la faible proportion de personnes Asperger vivant en couple sont quelques-uns des facteurs qui expliquent ce phénomène.

Le deuxième élément se rapporte aux comportements d'évitement ou toute autre forme de rituel qui permet d'esquiver les contacts sexuels dans le couple. Il s'agit par exemple de trouver des excuses, de se coucher avant ou après l'autre, d'émettre des messages quant au manque de désir, etc. Il arrive parfois qu'une routine d'évitement s'installe : une fois en place, il est difficile de la modifier. D'autre part, le ou les champs d'intérêt particuliers de ces personnes peuvent devenir « l'excuse » pour s'attarder à autre chose qu'à l'intimité du couple.

Le troisième facteur lié à la baisse du désir est le répertoire des activités sexuelles. Lorsque le script sexuel (le déroulement) est rigide, limité et connu, l'excitation des partenaires tend à diminuer. L'exploration et la nouveauté font partie des ingrédients qui permettent de maintenir ou d'augmenter le désir dans le couple. Cependant, certaines personnes préfèrent les routines et la répétition des séquences de comportement. À moyen terme, cela risque dans certains cas de figer le script sexuel et d'empêcher la spontanéité du partenaire.

Le dernier facteur à considérer est l'absence de communication émotive dans la vie affective, intime et sexuelle. Le sujet devient parfois tabou, ce qui entraîne une diminution des comportements affectueux et l'apparition de pensées négatives. La communication émotive va au-delà de l'échange routinier ou superficiel. Elle implique le partage des émotions et des pensées intimes. Les échanges ont avantage à être assez nombreux afin que s'installe une complicité entre les partenaires. Le partenaire Asperger peut éprouver des difficultés dans le contexte d'une communication intime. Habitué à communiquer des informations tangibles et logiques, il peut se montrer réticent. Cette situation s'accompagne parfois d'une baisse du temps partagé à l'intérieur du couple. La notion de temps mérite ici d'être élaborée : il s'agit d'un « temps de qualité », c'est-à-dire un moment précis où le couple se retrouve afin de partager et de consolider son intimité.

Plusieurs exemples peuvent illustrer des moments où la qualité de l'échange n'est pas optimale. Par exemple : une discussion qui survient au même moment qu'une tâche ménagère ; un coup de téléphone inattendu ; un échange verbal qui se déroule lorsque les partenaires n'occupent pas la même pièce ; ou encore le début d'une discussion à l'heure du coucher. Ce sont là des situations qui entraînent une communication caractérisée par une difficulté majeure, soit l'absence de lien (de communication, d'échange affectif, d'intimité). Lorsque ces moments sont isolés les uns des autres et qu'un laps de temps important (de quelques jours à quelques semaines) s'écoule avant de reprendre la discussion, il devient plus difficile d'établir une relation affective entre les partenaires.

Un conjoint Asperger ne se rend pas compte de l'importance des moments intimes entre lui et sa partenaire. Sa conjointe souffre du manque d'échanges et d'affection entre eux. Comme il perçoit cette remarque comme un reproche, il maintient une distance encore plus grande, en se réfugiant dans son activité préférée.

Un autre couple exprime ses insatisfactions quant aux nombreuses mésententes qui règnent. Le conjoint Asperger exprime son attirance et son désir pour sa conjointe uniquement au moyen des échanges sexuels. Sur les plans de la diversité et de la fréquence, tout y est, mais la conjointe déplore le découpage net entre la relation purement «sexuelle» et la relation «affective», absente dans le couple. Le conjoint explique qu'il s'agit là de la preuve concrète du désir qu'il éprouve pour elle. Les besoins sexuels sont comblés, mais qu'en est-il de l'intimité?

Il n'est pas rare de rencontrer cette dynamique chez les couples dont l'un des membres est Asperger. Dans le cas d'une union entre deux personnes Asperger, la dynamique peut être semblable ou totalement différente. Si les conjoints partagent la même vision, l'ajustement peut s'effectuer facilement. Dans le cas d'une divergence, le couple risque de rencontrer certains obstacles. Est-il possible de maintenir le désir en favorisant une plus grande intimité dans le couple? Les conjoints doivent tenir compte du fait qu'il s'agit d'un processus actif et qu'un partage des responsabilités est nécessaire. Les reproches et les blâmes ne feront qu'entraîner le couple dans le cercle vicieux que constituent les comportements d'évitement et la colère.

La communication affective

L'établissement d'une saine communication est la première étape vers la compréhension mutuelle. Pour que cela devienne possible, encore faut-il s'entendre sur les constituantes de l'intimité du couple. Et comme il est pratiquement impossible d'aborder la baisse du désir sexuel sans d'abord établir les constituantes de l'intimité, la définition de l'intimité sera explorée par un premier exercice. L'objectif est de dresser une liste de mots ou d'activités qui représentent l'intimité pour chacun des membres du couple. Il n'y a ni bonnes ni mauvaises réponses. En comparant les listes, la discussion portera sur les ressemblances, les différences et les constituantes de l'intimité selon l'un et l'autre. Dans le cas où la liste d'un des partenaires se révélerait pauvre, la discussion sera orientée sur des suggestions et le partage des composantes de la liste de l'autre partenaire. En aucun cas l'exercice ne devrait se dérouler dans une atmosphère de confrontation. Le but est de parvenir à un dialogue, à un échange constructif. La rigidité de certains individus Asperger témoigne souvent d'une incompréhension des désirs de l'autre et d'une tendance à l'égocentrisme. Dans un couple, le partage, les compromis et la sensibilité sont les composantes essentielles d'une bonne entente. Une fois les listes d'activités intimes complétées, chacun des partenaires devra mettre en pratique un élément chaque semaine, jusqu'à ce que le couple soit satisfait du niveau d'intimité partagée.

Une attention particulière sera accordée à la nécessité de parler au « je » (*voir les exercices de communication du chapitre 3*), d'exprimer clairement ses demandes et ses intentions, et d'accorder une priorité aux « moments de qualité » dans le couple. Un journal, mis à jour chaque semaine, permet d'observer la progression. De brèves réflexions sont proposées, comme dans l'exemple ci-dessous.

Réflexion en couple

Semaine : ______________________

1. Nommer un exemple de communication positive.

____

____

____

____

2. Quels ont été les moments d'intimité de la semaine (activité, sexualité, échanges, etc.) ?

____

____

____

____

3. Décrivez un malentendu qui a été discuté et réglé entre vous.

____

____

____

____

4. Appréciation de la semaine pour chaque composante, sur une échelle de 1 à 10 :

   −1 2 3 4 5 6 7 8 9 +10

   a) Communication : _____ c) Sexualité : _____

   b) Intimité : _____ d) Activités du quotidien : _____

Lorsqu'un partenaire est en attente des initiatives de l'autre, cela risque d'entraîner une certaine inertie de sa part. Les attentions et les efforts visant un rapprochement sont moindres, et l'insatisfaction augmente. D'un autre côté, si un seul des partenaires est responsable des gestes d'attention et d'affection dans le couple, ceux-ci seront tenus pour acquis et ils perdront de leur valeur. Plus les barrières sur le plan physique ou relationnel seront nombreuses, plus il sera difficile de vivre de l'intimité dans le couple.

La dynamique de couple

La notion d'intimité se révèle complexe, et l'expression de l'engagement, de la confiance et de l'affection nécessite le recours à des habiletés interpersonnelles (L'Abate et Sloan, 1984 ; Margolin, 1982 ; Waring et collab., 1980). Trois composantes sont nécessaires à l'établissement de l'intimité entre deux personnes : le partage des pensées, des croyances et des rêves, la sexualité (considérée sous l'angle des échanges et de l'attachement) et, enfin, la reconnaissance de sa propre valeur et de ses besoins individuels. La satisfaction à l'égard de la vie sexuelle est intimement liée à ces composantes. Au sujet de la sexualité et des relations de couples, Ron Hedgcock (2002), un adulte Asperger, s'exprime :

> «Ma vie adulte est caractérisée par une inexpérience et une incompréhension des signaux liés à la sexualité. J'éprouve un faible sens de l'attachement, de l'amour ou de la loyauté envers tout partenaire sexuel. Ma sexualité est vécue comme un devoir ou une habitude. Le manque de réciprocité émotionnelle et sociale contribue à ce que l'intimité avec un partenaire soit vécue comme envahissante. Plus jeune, j'étais rarement inclus dans les groupes. Un petit groupe d'amis privilégiés s'est développé... avec peu d'hommes mais plusieurs femmes. Elles me percevaient davantage comme un grand frère ou un ami qu'un conjoint potentiel. Me considérant hétérosexuel, je n'arrivais pas à décoder le langage non verbal ni la "chimie" envers personne. J'ai toujours pris pour acquis qu'un jour, je me marierais et j'aurais des enfants, comme dans ma famille d'origine. Je n'ai jamais compris ce qu'était l'amour, l'intimité ou l'attachement comme on l'entend si souvent. Lire ou décoder les pensées des autres n'a jamais fait partie de mes expériences. L'amour et le mariage m'apparaissaient comme étant simples et pratiques. Je n'ai jamais eu conscience que mes parents devaient travailler sur leur relation ; je n'avais pas non plus l'idée que le mariage pouvait être une entreprise difficile ou même dangereuse. Le choix d'une partenaire a été un choix facile, uniquement basé sur le fait de s'apprécier et d'avoir des intérêts mutuels. La sexualité était une activité simple et plaisante qui se partageait dans la relation amicale. Aucune subtilité ou autres conditions n'étaient requises.
>
> «Eh bien, j'ai traversé une série de mariages. Elles m'ont quitté (les pauvres femmes, finalement désorientées). Partager ma vie avec quelqu'un m'apparaissait

chaotique. J'étais satisfait de mes relations avec les gens de l'extérieur, mais mes relations intimes provoquaient de l'inconfort et du stress. Clairement, le manque d'attachement envers mes épouses a contribué à ruiner mes mariages. Personne ne savait rien au sujet du syndrome d'Asperger, et la question ultime quant à moi et mon incapacité à aimer ou à être intime était : "Suis-je fou, méchant ou complètement irréfléchi ? "

« Aimer quelqu'un durant vingt ou trente ans demeure pour moi un casse-tête, une considération et même un obstacle à surmonter [...] l'amour, l'intimité et l'attachement demeurent un mystère [...] la sexualité et l'amour sont compartimentés dans ma vie. »

Plusieurs ouvrages traitent de la réalité de ces couples. *The Other Half of Asperger Syndrome* et *Aspergers in Love* (Aston, 2001 et 2003); *Asperger Syndrome and Adults... Is Anyone Listening?* (Rodman, 2003); *An Asperger Marriage* (Slater-Walker et Slater-Walker, 2002) ainsi que *Asperger Syndrome and Long-Term Relationships* (Stanford, 2002) pourront intéresser les couples. La dynamique conjugale doit être abordée en tenant compte des caractéristiques du partenaire Asperger. Cet état vient teinter la relation au quotidien. Par exemple, la rigidité, les activités spécifiques et les rituels suscitent des demandes inhabituelles ou excessives de la part du partenaire. Le conjoint neurotypique devra, d'une manière ou d'une autre, s'ajuster à cette réalité. Comme il s'agit de caractéristiques inhérentes à l'état d'Asperger, elles ne pourront être occultées.

Attwood (2003b) énumère 11 stratégies qui permettent de consolider la relation de couple. La reconnaissance et l'acceptation du diagnostic sont de première importance. Le déni ne fera qu'augmenter l'incompréhension et la résistance au changement. La motivation des deux partenaires est également primordiale. Le fait de blâmer l'autre ou de le rendre responsable des difficultés conjugales provoque une attitude et des comportements défensifs. La communication et l'intimité en souffriront grandement. De plus, un apport extérieur comme un groupe d'entraide (par exemple, le www.FAAAS.org), une thérapie, un soutien familial ou des groupes locaux favorisent le rétablissement d'un équilibre dans la vie de l'autre partenaire. Les activités sociales et individuelles ne doivent pas être négligées, car celles-ci sont des occasions pour le partenaire de combler divers besoins.

Certains partenaires qui consultent en thérapie rapportent une vie sexuelle pauvre et routinière. D'autres expriment de la satisfaction quant à leur vie sexuelle, mais déplorent l'absence d'échanges affectifs dans leur relation. Chaque couple a son histoire. Toutefois, il demeure que certaines particularités sont observées en ce qui concerne l'intimité sexuelle et le manque d'empathie chez le partenaire Asperger.

L'empathie

Le peu ou l'absence d'empathie peut se définir par l'indifférence générale d'une personne quant au bien-être ou au bonheur de l'autre. La maladie, la dépression, le deuil ou l'insatisfaction de sa ou son partenaire affectent peu cette personne. Le soutien (sur les plans émotif et physique) n'est pas une préoccupation, ce qui laisse croire qu'elle ne tient pas à l'autre. Les difficultés liées au décodage et à la gestion des émotions ainsi que la théorie de la pensée sont en partie responsables du manque d'empathie de certains partenaires. Il arrive aussi qu'une forme de narcissisme s'ajoute au manque d'empathie ; l'individu est alors uniquement préoccupé par ses propres besoins ou ce qui le concerne directement. Étant souvent absorbée par son activité particulière, la personne fait fi des stimulations extérieures telles que les émotions ou les états d'âme de l'autre.

La pensée logique et concrète des personnes Asperger s'avère également problématique dans un contexte émotionnel. L'annonce d'une maladie, de la mort d'un proche, d'une perte d'emploi ou tout autre événement qui suscitera de fortes émotions chez le partenaire peut être interprété logiquement par la personne Asperger (« Ce n'est pas grave » ; « Consulte un médecin » ; « Ainsi va la vie » ; « Ce n'était pas un emploi pour toi » ; « Tu en fais tout un plat » ; « Et puis après ? », etc.). Le partenaire aura l'impression que l'autre est insensible à ce qu'il vit, ce qui risque d'engendrer un conflit.

L'empathie est une constituante importante de la santé mentale (Foreman, 2003). Levenson (cité dans Foreman, 2003) présente l'empathie sous trois formes : cognitive, émotionnelle et celle qui se traduit par la compassion. L'empathie cognitive est la capacité de « savoir » ce que l'autre ressent, ce qui n'implique pas la capacité de ressentir une émotion pour l'autre. L'empathie émotionnelle est celle à laquelle la majorité des gens font référence lorsqu'ils affirment « ressentir ce que l'autre ressent ». La compassion est le sentiment qui découle de l'expérience émotionnelle (donner un baiser, faire un geste envers l'autre). L'expression faciale et l'empathie ont un lien direct. Ekman (cité dans Foreman, 2003) définit l'empathie comme « un talent sophistiqué pour traiter les autres comme on voudrait soi-même être traité, basé sur l'imitation primitive ». L'imitation des expressions du visage se développe normalement dès le jeune âge, mais peut demeurer déficitaire chez les personnes Asperger. Les interventions basées sur la reconnaissance et la gestion des émotions s'avèrent efficaces pour aider à développer l'empathie. Ces résultats confirment qu'il est important d'aborder les émotions dans le couple en vue d'outiller le partenaire Asperger.

L'intimité sexuelle

En ce qui a trait à l'intimité, aux comportements et au script sexuel (la routine liée aux activités sexuelles), un travail thérapeutique s'avère, dans certains cas, fort utile. La sexualité comble différents besoins: proximité, rapprochement émotif, plaisir, fantasmatique, devoir ou routine sont quelques-uns de ceux rapportés par les couples. Les besoins et les attentes des partenaires sont parfois distincts. Lorsque la conception de la sexualité est totalement différente pour les partenaires, une discussion s'impose. Bien entendu, chaque activité sexuelle s'inscrit dans un contexte particulier, mais il est généralement possible de favoriser un rapprochement par le biais d'exercices de réflexion et d'exploration mutuelle dans le couple.

Voici des suggestions qui accompagnent la thérapie de couple. Le premier exercice proposé vise l'exploration des zones érogènes des partenaires. Les zones érogènes sont les parties sensibles du corps. Un plaisir est ressenti lorsqu'elles sont effleurées ou caressées. Le plaisir peut être de nature sexuelle, sensuelle ou tactile.

Sur une feuille de papier figurent deux dessins de corps (formant le couple). Chaque partenaire encercle les zones érogènes de l'autre, en prenant soin d'inscrire une cote (de 1 à 10) pour indiquer l'intensité du plaisir ressenti d'après lui par l'autre. La cote 1 signifie peu de plaisir, la cote 5 représente un plaisir agréable et la cote 10 décrit un plaisir intense. Cet exercice vise à comparer les perceptions des partenaires. De façon générale, les partenaires ont tendance à projeter leur propre appréciation et à surévaluer les parties sensibles du corps de l'autre. À certaines occasions, l'exercice permet de mettre en évidence la méconnaissance du corps de l'autre.

Par exemple, le conjoint qui apprécie les caresses génitales encercle la zone génitale de sa conjointe. Il indique la cote 9, signifiant une grande sensibilité. Sa conjointe, une fois questionnée, dira qu'elle apprécie les caresses génitales, pour lesquelles elle accorde la cote 6. Elle dira préférer les caresses sur le haut du corps, et plus particulièrement à la poitrine et au cou. De son côté, elle encercle surtout les parties du haut du corps de l'autre en indiquant des cotes élevées d'appréciation (10). L'exercice permet alors d'explorer les préférences de chacun et, surtout, les perceptions liées aux sensibilités corporelles de l'autre.

Une autre tendance observée est celle qui consiste à se limiter aux parties sexuelles du corps. L'exercice se veut plus global. Le couple doit prendre le temps de parcourir toutes les parties du corps, de la tête aux pieds. Lorsque les caresses sont uniquement dirigées vers les parties génitales, elles peuvent bien entendu stimuler le plaisir, mais elles créent parfois un sentiment d'envahissement. La discussion qui suit l'exercice permet d'aborder les préliminaires. Souvent escamotés au profit de l'acte sexuel, ceux-ci permettent d'attiser le désir. Les caresses, les étreintes, les baisers et les échanges affectifs contribuent à favoriser un relâchement de la musculature interne des organes génitaux, plus particulièrement le muscle pubo-coccygien. Le plaisir physiologique qui en découle permet à l'individu de se concentrer davantage sur les sensations qu'il éprouve et, ainsi, de laisser de côté ses préoccupations. Ce laisser-aller est favorable à la montée du plaisir. Certains individus abordent les préliminaires et les caresses de façon mécanique, sans le laisser-aller qui permet de vivre le moment présent et de savourer le plaisir des caresses. Les partenaires ont alors l'impression d'être quasi inexistants ou, à la limite, d'être considérés comme des objets. Malgré leur apparence simpliste, ces exercices donnent lieu à de nombreux apprentissages.

Les sensibilités tactiles du partenaire sont également discutées. Une jeune femme Asperger explique comment elle vit les touchers intimes :

> « Je trouve cela très difficile de toucher ou de recevoir des caresses intimes. Il y a tellement d'émotions et d'informations transmises au même moment. Je me sens submergée et mon corps se referme. Je me sens paniquée, je tremble et tente à tout prix de me retirer de la situation. Si mon partenaire est doux et patient, j'arrive alors à me détendre et à faire confiance. Le fait d'être touchée et caressée se vit alors plus facilement et j'arrive à vraiment y trouver du plaisir. »

Il est possible d'apprivoiser les touchers intimes. L'exercice des cinq sens complète bien celui des zones érogènes (*voir l'atelier 5*) La patience, la délicatesse du partenaire et la confiance dans le couple sont des éléments primordiaux. Chaque partenaire doit établir une relation basée sur la communication et les échanges afin d'être en mesure de partager sa propre expérience avec l'autre. Les exercices proposés permettent d'apprendre à toucher l'autre de façon agréable (en respectant les sensibilités tactiles), en plus de découvrir les parties du corps qui procurent un plaisir sensuel ou sexuel. Chaque individu est unique et les réactions peuvent varier, mais il reste que de tels exercices permettent de diminuer les appréhensions, l'anxiété et les réactions aversives.

Un deuxième exercice vise à étendre le script sexuel du couple. Étant donné les caractéristiques associées au syndrome d'Asperger, il y a fort à parier qu'une routine guide les activités sexuelles (fréquence, préliminaires, position, etc.). L'objectif est de favoriser une plus grande spontanéité ainsi qu'une exploration de la diversité des contacts sexuels entre les partenaires. L'exercice sur la « focalisation sensorielle » (*Sensate Focus*) a été développé par Masters et Johnson (1970) et repris dans plusieurs ouvrages destinés à la sexothérapie (Jacobson et Gurman, 1995 ; Keesling, 1993 ; Paradis et Lafond, 1990). L'exercice doit être accompagné d'une discussion préalable (afin d'obtenir l'accord des deux partenaires) et d'un retour sur l'expérience. Voici les trois étapes de la focalisation sensorielle (*voir page 111*).

La focalisation sensorielle

L'objectif est de vivre une expérience de découverte intime et sensuelle, sans avoir recours à la pénétration. Il s'agit d'explorer les sensations de plaisir et de les communiquer à son partenaire.

Il est souhaitable de se préparer à l'avance, en créant un moment favorable à la détente et au plaisir. Assurez-vous de ne pas être dérangés pour une période d'environ 30 à 60 minutes. Durant ce moment intime, vous pouvez tamiser les lumières, écouter de la musique, prendre un bain ou une douche en couple, vous installer dans une pièce confortable, etc. À chaque étape, vous pouvez vivre l'expérience dans une pièce différente ou en créant une nouvelle atmosphère. Chaque étape peut être reprise durant la semaine.

Étape 1 (semaine 1)

À cette première étape, chacun de vous (à tour de rôle ou les deux partenaires en même temps) prend le temps d'explorer le corps de l'autre avec ses mains ou sa bouche. Commencez avec des caresses qui vous mettent à l'aise. Si certains gestes vous incommodent (ou incommodent votre partenaire), ne les poursuivez pas. Il est souhaitable que chacun de vous concentre son attention sur les sensations ressenties au moment des caresses, plaisantes ou déplaisantes.

Il est recommandé de communiquer à votre partenaire quelles caresses sont plaisantes, désagréables ou inconfortables.

À cette étape, il est important de s'attarder uniquement sur les parties *non génitales.* Ne caressez pas les organes génitaux, l'anus et les seins de votre partenaire. Le but est d'explorer progressivement tout le corps (de la tête aux pieds), sans qu'il y ait nécessairement excitation.

À la fin de l'expérience, dites ce que vous avez vécu, autant en donnant qu'en recevant des caresses. Laissez passer au moins une semaine avant d'entreprendre l'étape 2.

Étape 2 (semaine 2)

En suivant les mêmes consignes préparatoires qu'à l'étape 1, vous pouvez maintenant caresser tout le corps de votre partenaire, y compris les organes génitaux, l'anus et les seins. Si vous n'êtes pas à l'aise avec les caresses des parties génitales, évitez-les. À cette étape, le but est également de découvrir les sensations corporelles. Les stimulations rythmiques (de type masturbatoire) ne sont toutefois pas souhaitables, car elles pourraient conduire à l'orgasme, ce qui n'est pas le but de l'exploration.

Cette deuxième étape peut aussi se dérouler à tour de rôle ou en vous caressant simultanément. Pendant ou après l'exercice, vous pouvez partager ce que vous avez ressenti lorsque vous donniez les caresses et lorsque vous les receviez.

Étape 3 (semaine 3)

Vous pouvez maintenant caresser votre partenaire jusqu'à ce qu'elle ou il parvienne au plaisir ou à l'orgasme avec différentes caresses manuelles ou buccales. La pénétration (vaginale) n'est toutefois pas recommandée, ceci afin de vous permettre d'expérimenter de nouvelles caresses et de nouveaux comportements sexuels. L'expérience peut se dérouler à tour de rôle ou simultanément.

À la fin de cette troisième étape, il est profitable de discuter de l'exercice. Chacun exprime ce qu'il a apprécié et dit en quoi l'exploration du corps de l'autre s'avère positive pour ce qui est de diversifier les activités sexuelles du couple.

L'exercice sur la focalisation sensorielle est important chez ces couples, car il permet d'aller au-delà de l'association entre la caresse et la pénétration, à laquelle elle mène automatiquement. Le fait d'explorer le corps de l'autre, d'y prendre plaisir, et aussi de prendre le temps de vivre l'échange permet de briser la routine et d'intégrer de nouveaux gestes intimes et sexuels dans le script du couple. Bien entendu, cette démarche implique une ouverture d'esprit ainsi qu'un investissement personnel. Il est plus difficile de changer les habitudes que de reproduire les mêmes routines. Cependant, en adoptant une telle démarche, il est certain que la vie sexuelle du couple ne s'en portera que mieux.

Des interventions individuelles sont également proposées. Le programme de Lonnie Barbach, *Loving Together, Sexual Enrichment Program* (1997), propose des réflexions et des exercices pratiques sur une période intensive de 10 semaines. Ce programme favorise l'introspection et la responsabilisation en ce qui a trait à la vie sexuelle. Concrètes et efficaces, les activités s'intègrent facilement dans une démarche thérapeutique plus élaborée.

Pendant les rencontres thérapeuthiques, les préliminaires et les différentes positions sexuelles sont abordés à partir d'images et de séquences de photos. L'apprentissage est découpé en séquences de gestes et de mouvements, ce qui permet d'élaborer différents scripts. L'objectif est d'éviter les routines trop rigides lors des relations sexuelles. Les partenaires apprécient la construction de séquences qui conviennent à leurs besoins et à leurs désirs. Le fait d'aborder les préliminaires permet également d'enseigner (à l'aide d'images et de films éducatifs) les types de caresses et la façon de s'y prendre pour les prodiguer. Comme la plupart des individus Asperger n'ont que peu d'expérience en ce domaine, ce type d'enseignement est très important.

Dans tous les exercices proposés, l'élément principal demeure l'engagement des partenaires. Une démarche thérapeutique s'inscrit dans un désir d'évolution et de partage dans le couple. Les deux partenaires doivent être motivés, car ils devront investir temps et énergie s'ils souhaitent des changements. La thérapie va au-delà de la séance en bureau, les réflexions et les exercices étant complétés durant la semaine. Les changements sont parfois douloureux, surtout pour le partenaire Asperger. Habitué à ses routines, il devra considérer les demandes et les désirs de l'autre. L'affirmation de soi et la communication positive (*voir le chapitre 3*) s'inscrivent aussi dans cette démarche. La sexothérapie intègre toutes les composantes de la sexualité et doit avant tout s'adapter à la réalité du couple. Le travail est parfois laborieux, mais il s'agit d'un investissement qui en vaut la peine.

Chapitre 7

Le programme d'éducation sociosexuelle

Les programmes d'éducation sexuelle

Selon les associations *Family Planning Queensland* (2001) et *National Information Center for Children and Youth with Disabilities* (1992), un programme d'éducation sexuelle doit satisfaire à quatre exigences : transmettre l'information, développer des valeurs, encourager les habiletés interpersonnelles et responsabiliser les individus. Griffiths, Richards, Fedoroff et Watson (2002) et Haracopos et Pedersen (1999) considèrent la sexualité dans sa globalité, ce qui inclut l'intimité, le désir, la communication, la génitalité, l'amour, les déviances et la satisfaction. C'est pourquoi les programmes d'intervention abordent à la fois l'identité sexuelle, l'appartenance à son sexe, les besoins et le développement sexuels. Comme le soutient la littérature (Cornelius, Chipouras, Makas et Daniels, 1982 ; Griffiths, Quinsey et Hingsburger, 1989 ; Hellemans, 1996), une éducation structurée et adaptée aux besoins de la population Asperger doit faire partie de l'ensemble des services offerts, mais encore faut-il que cet enseignement soit dispensé. Comme le rapportent Hingsburger (1993), Kempton (1993) ainsi que le *National Information Center for Children and Youth with Disabilities* (1992), plus les individus sont informés sur la sexualité, plus ils sont en mesure de faire des choix éclairés et autonomes. En plus de diminuer les risques d'abus sexuels, les programmes d'éducation donnent à ces personnes la possibilité d'accéder à une vie sociale et sexuelle enrichissante.

Plusieurs auteurs (Gray, Ruble et Dalrymple, 1996 ; Haracopos et Pedersen, 1999 ; Hellemans, 1996 ; Hingsburger, 1993) reconnaissent l'importance d'une éducation sexuelle adaptée à la réalité des personnes autistes. Cependant, alors qu'il existe plusieurs programmes d'éducation sexuelle destinés à la population affectée d'une déficience intellectuelle (Kaeser et O'Neill, 1987), il y en a fort peu qui s'adressent aux personnes autistes de haut niveau ou Asperger. En effet, en ce qui concerne la population Asperger, l'intervention en ce domaine n'en est encore qu'à ses débuts.

Un premier programme est proposé par Haracopos et Pedersen (1999). Cependant, il n'existe à ce jour qu'en version préliminaire. Kempton (1993), pionnier en matière d'éducation sexuelle spécialisée, a publié un programme d'éducation sociosexuelle spécialement conçu pour les individus affectés d'un trouble envahissant du développement. Ce programme permet d'aller au-delà de l'apprentissage des habiletés sociales, mais les thèmes portant sur la sexualité sont peu nombreux et le matériel éducatif, peu concret.

Les programmes d'habiletés sociales de Ouellet et L'Abbé (1987) et de Soyner et Desnoyers Hurley (1990) sont détaillés sur le plan de la socialisation, mais ils n'abordent que sommairement les notions de sexualité et d'intimité.

La *SexoTrousse* (Lemay, 1996), le *Programme d'éducation à la vie affective, amoureuse et sexuelle* (Desaulniers et collab., 2001) ainsi que les programmes *Life Horizons I* et *II* (Kempton, 2002) ont l'avantage de présenter un matériel concret et des activités pertinentes. Ils ne sont toutefois pas adaptés à la population Asperger, étant plutôt destinés aux individus qui présentent une déficience intellectuelle ou un trouble du développement.

Le *Programme d'éducation sexuelle* (Durocher et Fortier, 1999) s'avère le plus intéressant, compte tenu du profil sexuel et cognitif des personnes Asperger. Les activités sont concrètes, imagées et requièrent un niveau de participation élevé. Le programme est conçu pour les groupes, car il est axé sur les échanges et les contacts sociaux, et il s'adresse à des individus qui présentent divers troubles du comportement (agressivité, opposition, hyperactivité). Le programme de Durocher et Fortier constitue le canevas de base de l'actuel programme destiné à la population Asperger. Il est à noter que celui-ci peut également être suivi de façon individuelle. Cependant, le programme individuel ne peut contenir la portion liée au développement des habiletés interpersonnelles et de communication qui implique des activités de groupe.

Le programme d'éducation sociosexuelle présenté ici puise donc dans les activités du programme de Durocher et Fortier et se divise en 12 thèmes relatifs à la sexualité. Le programme est spécifiquement adapté aux besoins de la population Asperger. De nombreux ajouts rendent les activités plus concrètes, le support visuel occupe une plus grande place et la répétition des exercices permet aux participants d'intégrer les enseignements. De plus, différents outils d'enseignement sont utilisés comme les logiciels *Gaining Face* (Team Asperger, 1999) et *Mind-Reading* (Baron-Cohen et collab., 2004), les photos de la *SexoTrousse* (Lemay, 1996), les *Social Stories* (Gray, 1995), etc. Les thèmes abordés sont l'amour et l'amitié, les aspects physiologiques, les relations sexuelles et autres comportements, les émotions, les MTS, le sida, les moyens de prévention et de contraception, l'orientation sexuelle, l'alcool et les drogues, les abus sexuels et les comportements inappropriés, le sexisme et la violence dans les relations amoureuses, la théorie de la pensée et, enfin, la communication.

Ces thématiques s'adressent à la réalité sexuelle des personnes autistes de haut niveau et Asperger telle que définie par Haracopos et Pedersen (1999) et

Kempton (1993). Les techniques d'enseignement utilisées sont les mises en situation, les rencontres de groupe et les simulations. Le résultat de toutes ces modifications prend la forme d'un programme d'intervention inédit destiné à la fois aux adolescents et aux adultes Asperger. De plus, ce dernier a fait l'objet d'une validation empirique, ce qui lui confère une valeur accrue (Hénault, Forget et Giroux, 2003).

L'évaluation du programme et les résultats

L'évaluation de la mise en application du programme a été effectuée au moyen de quatre outils: la *Australian Scale for Asperger's Syndrome* (Garnett et Attwood, 1995, cité dans Attwood, 2004a) a été utilisée comme instrument diagnostique; le questionnaire d'évaluation d'Aman et Singh, *Aberrant Behavior Checklist* (1986), a permis d'établir la séquence des comportements inappropriés des participants; la *Friendship Skills Observation Checklist* (Attwood et Gray, 1999a) a permis d'obtenir des relevés d'observation portant sur les habiletés sociales et personnelles; les questionnaires des connaissances sociosexuelles (Durocher et Fortier, 1999) ont rendu possible la vérification des connaissances sexuelles générales des participants avant l'intervention, de même qu'à l'occasion du dernier atelier du programme.

Enfin, l'*Inventaire du fonctionnement sexuel de Derogatis* (Derogatis et Melisaratos, 1982) visant à vérifier la généralisation des acquis a été appliqué trois mois suivant la fin du programme d'intervention. Toutefois, en raison de sa nature intrusive, le DSFI n'a été remis qu'aux participants âgés de plus de 18 ans.

Les résultats démontrent que, grâce à ce programme d'entraînement, les habiletés relatives à l'amitié et à l'intimité augmentent significativement, tandis que les comportements inappropriés diminuent (Hénault, Forget et Giroux, 2003). Les habiletés de présentation et de conversation, incluant le langage non verbal, progressent à l'intérieur des ateliers, alors que les comportements d'aide et d'empathie sont observés à une plus grande fréquence en fin d'expérimentation. En outre, les relations amicales entre les participants témoignent des rapprochements et de l'ouverture aux autres manifestés lors des activités. Le programme d'éducation sociosexuelle assure également une diminution des conduites sexuelles inadéquates (masturbation inappropriée, touchers inappropriés, voyeurisme, fétichisme et exhibitionnisme). De plus, les comportements de retrait et d'isolement laissent place à une plus grande réciprocité envers les participants du groupe. Les comportements impulsifs diminuent également de façon significative. Enfin, l'enrichissement des connaissances générales et une attitude positive à l'égard de la sexualité ont pu être observés chez les participants. Il est à noter que la généralisation des apprentissages est contrôlée, et ce, jusqu'à trois mois suivant la fin des interventions.

Les contributions du programme d'éducation sociosexuelle adapté aux individus Asperger

Un premier apport réside dans la thématique même de l'outil d'éducation. Très peu de programmes offrent un entraînement aux habiletés sociales jumelé à une éducation sexuelle. La collaboration, le respect et l'intérêt des participants démontrent leur motivation à l'égard de ce programme. Le sujet suscite de la curiosité car, pour la plupart d'entre eux, il s'agissait d'une première. Le programme d'intervention sociosexuelle sait répondre à une demande précise et le besoin à combler est réel. Étant donné la nature de l'intervention et les sujets abordés dans les ateliers, les confidences et les questions personnelles de certains participants sont à prévoir: 30 minutes y sont consacrées à la fin de chaque atelier. Sans encourager le dévoilement de la vie intime des participants, il est primordial de leur offrir un temps qui puisse satisfaire leur besoin de se confier. Par exemple, un adolescent aux comportements fétichistes a manifesté le désir de s'exprimer confidentiellement sur le sujet. Un autre adolescent, sensible au thème de l'abus sexuel, a rapporté les gestes inappropriés d'un membre de sa famille à son égard. Afin d'orienter ces interventions, une section intitulée « Notes à l'intervenant » accompagne chaque atelier et fournit une marche à suivre ainsi que des pistes de réponse susceptibles d'aider l'expérimentateur. L'objectif visant à favoriser une expression émotive et saine de la sexualité se développe parallèlement aux activités de groupe.

Le format du programme constitue également une nouveauté. L'intervention, qui s'échelonne sur 12 semaines consécutives, permet aux participants de fraterniser tout en développant leurs connaissances. L'atteinte de cet objectif se manifeste surtout lors des quatre derniers ateliers. Des observations qualitatives permettent de constater le développement de relations amicales entre certains participants. Ainsi, deux adolescents d'un même groupe ont découvert une passion commune pour la lutte professionnelle. Ils ont échangé des revues et entrepris de se fréquenter en dehors des ateliers. Trois adultes d'un autre groupe organisaient des sorties hebdomadaires. Une participante a fait connaître son activité préférée, les quilles, à un membre du groupe. Deux adultes ont découvert leur passion commune pour l'informatique alors que, dans un autre groupe, un adolescent en a initié un autre au dessin. Cet objectif sous-jacent a été observé dans les quatre groupes d'expérimentation (Hénault, Forget et Giroux, 2003). Les activités de groupe favorisent les rapprochements entre les participants. Le besoin de socialiser permet le développement de liens amicaux, en plus d'augmenter la qualité des relations interpersonnelles à l'intérieur du groupe.

L'aptitude à écouter et à intégrer les commentaires du groupe témoigne également du développement d'une attitude moins égocentrique de la part des participants. L'apprentissage des habiletés sociales entraîne une plus grande ouverture aux autres, diminuant par la même occasion la propension au narcissisme (« Je sais tout, tu ne connais rien » ou « Tous les gens sont ignorants ») rencontrée chez certains. Par ailleurs, les réactions des pairs sont d'une grande utilité lors des ateliers. Par exemple, à la suite du visionnement d'un film sur l'abus sexuel, les commentaires de certains ont influencé d'autres participants plus enclins à l'agressivité sexuelle. Une autre discussion et un court film sur les conduites masturbatoires ont permis de corriger le comportement inadéquat d'un adolescent. L'accord incontestable du groupe sur la nature privée du geste a rapidement eu pour effet de diriger les activités d'autostimulation de l'adolescent vers l'intimité de sa chambre. La mère de l'adolescent a confirmé le changement dès le lendemain de l'atelier (cinquième semaine d'intervention). Le changement s'est maintenu jusqu'à la fin du programme, et un appel post-expérimentation (trois mois après la fin des ateliers) a confirmé le maintien du comportement adéquat chez l'adolescent.

L'utilisation d'un matériel visuel efficace et varié (extraits de films, logiciel, photographies) de même que les activités de groupe ont contribué à maintenir l'attention des participants, en plus d'améliorer le comportement voulant que l'intérêt soit démontré par le regard. Les personnes Asperger ont avantage à développer cette habileté (soutenir le regard), car il s'agit d'une difficulté habituellement rencontrée chez elles (Baron-Cohen, 2002 ; Soyner et Desnoyers Hurley, 1990).

Les résultats de la mise en application du programme d'éducation sociosexuelle (Hénault, Forget et Giroux, 2003) démontrent une bonne acquisition des connaissances techniques liées à l'expression émotive (lire, décoder et gérer les émotions), mais les habiletés et la mise en œuvre des acquis demeurent déficitaires. Le fait de s'attarder aux détails du visage rend la communication plus difficile pour les personnes Asperger. L'enseignement soutenu doit porter sur ce qui est essentiel, pour ainsi réduire le flot d'informations qui accompagne le décodage des expressions du visage. L'ajout d'outils et d'interventions spécifiques (Attwood, 2004 ; Baron-Cohen, 2004 ; etc.) permettent d'améliorer les performances des participants. Ces outils complémentaires offrent des apprentissages spécifiques (lire les émotions dans le regard, explorer et gérer ses émotions et reconnaître les signaux corporels liés aux changements émotifs) dont peuvent bénéficier les participants.

Une des limites du programme concerne la généralisation des acquis à long terme, une préoccupation que l'on retrouve dans l'ensemble des programmes d'éducation et d'intervention. Comme le mentionnent Griffiths, Quinsey et Hingsburger (1989), la généralisation comporte trois phases : l'implication du thérapeute hors atelier, le système de soutien et l'intervention dans la communauté. L'implication du thérapeute vise les interventions en milieu naturel. En effet, en plus d'offrir des activités dans le cadre des ateliers, l'entraînement aurait avantage à se dérouler in vivo afin de confronter les participants aux situations réelles du quotidien. La deuxième phase vise la création d'un système de soutien (membre de la famille, autre intervenant, ami, etc.) afin de favoriser la poursuite des apprentissages, le soutien moral et le maintien du lien avec l'intervenant principal. Quant à l'intervention communautaire, elle s'étend aux loisirs, aux groupes de soutien et autres services offerts aux individus.

Un tel système de soutien devrait être intégré aux services professionnels et communautaires existants. Le programme d'intervention ouvre donc la voie à la création de services psychologiques et sexologiques adaptés à cette population.

En résumé, la compréhension des enjeux liés à la sexualité des personnes Asperger est essentielle pour le domaine de l'éducation spécialisée et de la psychothérapie. Le développement et l'intérêt des personnes Asperger à l'égard de la sexualité sont comparables à ceux de la population en général. Par contre, leur profil social et sexuel se démarque à plusieurs niveaux. Leurs difficultés en ce qui a trait aux habiletés sociales, à la communication et aux relations interpersonnelles sont considérables. Les besoins liés à l'éducation sexuelle sont nombreux, d'où la pertinence de la mise en application de programmes d'intervention spécifiquement conçus pour la population Asperger.

Les activités du programme d'éducation sociosexuelle adapté aux personnes Asperger

L'ensemble des activités du programme est divisé en 12 ateliers. Chaque atelier comprend une « feuille-support » destinée à l'intervenant, la liste du matériel requis ainsi que la marche à suivre. Les activités peuvent être adaptées au groupe (en fonction de l'âge, des besoins particuliers, de la réceptivité, etc.). De façon générale, les groupes devraient être formés sur la base de l'âge des participants (de 14 à 16 ans, de 16 à 20 ans, de 20 à 30 ans, de 30 à 40 ans, etc.). Lorsque cela est possible, il est souhaitable de former des groupes mixtes afin de permettre des échanges plus riches (les garçons sont toujours curieux de connaître l'opinion des filles, et vice versa). Chaque atelier est conçu pour se dérouler sur une période de 90 minutes (ce qui n'exclut pas la possibilité pour un intervenant de le diviser en 2 ateliers de 45 minutes). Il est aussi possible de répéter les activités et les exercices en échelonnant le programme sur 20 ateliers ou plus. La formule pédagogique de 12 rencontres, détaillée plus loin, ne doit pas être considérée comme immuable, mais il est à noter que les résultats mentionnés dans cet ouvrage (empruntés à Hénault, Forget et Giroux, 2003) proviennent d'ateliers échelonnés en suivant cette procédure.

Annexe

Programme de développement d'habiletés sociosexuelles

Contenu des activités

Atelier 1	Évaluations et présentation du programme
Atelier 2	Introduction à la sexualité et exercices de communication
Atelier 3	L'amour et l'amitié
Atelier 4	Les aspects physiologiques de la sexualité
Atelier 5	Les relations sexuelles et autres comportements
Atelier 6	Les émotions
Atelier 7	Les MTS, le sida et les moyens de prévention
Atelier 8	L'orientation sexuelle
Atelier 9	Alcool, drogues et sexualité
Atelier 10	Les abus sexuels et les comportements inappropriés
Atelier 11	Sexisme et violence dans les relations amoureuses
Atelier 12	Théorie de la pensée, communication et intimité

Atelier 1 (60 min)

Évaluations et présentation du programme

Objectifs généraux

Ce premier atelier a pour but de compléter les évaluations et de présenter le programme d'éducation sociosexuelle ainsi que son déroulement.

Cet atelier permet aux participants de visiter les lieux, d'établir un premier contact entre eux et de poser quelques questions quant au fonctionnement du programme, à sa durée et aux thèmes qui seront abordés. Les formulaires et les questionnaires constituent les documents 1.1 à 1.4. Le questionnaire de connaissances pour adultes est tiré du *Derogatis Sexual Functioning Inventory* (Derogatis et Melisaratos, 1982) et il est disponible à l'adresse www.derogatis-tests.com.

1. Dans un premier temps, l'animateur présente le programme et le matériel (feuilles d'exercices, films, logiciels, photos et images, etc.) qui sera utilisé. Les participants remplissent ensuite les formulaires de consentement et de renseignements.
2. Dans un deuxième temps, le calendrier des 12 ateliers est remis à chacun et, le cas échéant, les évaluations formelles sont complétées (*Indices of Friendship Observation Schedule* (Attwood, 2003c) ; *Aberrant Behavior Checklist* (Aman et Singh, 1986) ; *Australian Scale for Asperger's Syndrome* (Attwood, 1998a cité dans Attwood, 2004a).
3. La dernière portion de l'atelier est réservée aux questions et à la discussion.

Les parents et les conjoints des participants sont invités à ce premier atelier qui s'étend sur une période d'environ 60 minutes (les autres ateliers ou rencontres ont une durée prévue de 90 minutes).

Il est souhaitable que chaque participant soit muni d'une pochette où il pourra ranger les documents reproductibles remis pendant les ateliers.

N.B. Le masculin est employé tout au long du programme afin d'alléger le texte.

Document 1.1	Formulaire de consentement

Consentement

J'accepte de participer au programme d'éducation sociosexuelle. Je connais les modalités du programme et les évaluations qui s'y rattachent. En m'inscrivant au programme, je m'engage à assister à tous les ateliers.

La confidentialité est assurée tout au long du projet.

Merci de votre collaboration

____	______________________
Signature du participant ou de la participante	Date

____	______________________
Signature d'un parent si requis	Date

Document 1.2	Formulaire de renseignements (adolescents)

1. Nom: ____________________

2. Âge: ____________________

3. Date de naissance: ____________________

4. Adresse: ____________________

____

Téléphone: ____________________

Courriel: ____________________

5. Années de scolarité: ____________________

6. Est-ce que l'adolescent ou l'adolescente a reçu un diagnostic?

Oui _____ Non _____

Si oui, quel est le diagnostic? ____________________

____

Depuis quelle année? ____________________

Qui a émis le diagnostic? ____________________

Si non, est-ce que le processus de diagnostic est en cours? ____________________

7. Est-ce que l'adolescent ou l'adolescente prend des médicaments sur une base régulière?

Oui _____ Non _____

Si oui, indiquer le nom et la dose prescrite pour chaque médicament:

____

____

____

____

____

N.B. Ces informations demeurent confidentielles.

Merci de votre collaboration!

Document 1.3	Formulaire de renseignements (adultes)

1. Nom: ______________________________

2. Âge: ______________________________

3. Date de naissance: ______________________________

4. Adresse: ______________________________

____

Téléphone: ______________________________

Autre: ______________________________

5. Occupation: ______________________________

Années de scolarité: ______________________________

6. Statut: célibataire ____ marié ou mariée ____

conjoint ou conjointe de fait ____ divorcé ou divorcée ____

7. Avez-vous reçu un diagnostic? Oui ____ Non ____

Si oui, quel est le diagnostic? ______________________________

Depuis quelle année? ______________________________

Qui a émis le diagnostic? ______________________________

Si non, est-ce que le processus de diagnostic est en cours? ______________

8. Prenez-vous des médicaments sur une base régulière? Oui ____ Non ____

Si oui, indiquer le nom et la dose prescrite pour chaque médicament:

____

____

____

____

____

N.B.: Ces informations demeurent confidentielles.

Merci de votre collaboration!

Document 1.4	Questionnaire de connaissances nº 1 pour les adolescents

Nom: ______________________ Date: ______________

Testez vos connaissances !

1. Je suis l'organe menant à l'utérus. C'est le passage qu'emprunte le bébé à la naissance. Au moment des menstruations, le sang s'écoule en passant par moi. Qui suis-je ?

a) Pénis b) Vagin c) Seins

2. Je suis l'organe qui dépose les spermatozoïdes dans le vagin de la femme. Je durcis en réponse à l'excitation sexuelle. Je suis utile pour uriner et éjaculer. Qui suis-je ?

a) Ovaires b) Clitoris c) Pénis

3. Nous sommes les glandes qui fabriquent les spermatozoïdes. Qui sommes-nous ?

a) Testicules b) Vagin c) Utérus

4. Les femmes se masturbent.

□ Vrai □ Faux

5. Une fille peut devenir enceinte lors de la première relation sexuelle, surtout si les partenaires n'utilisent pas de moyen de contraception.

□ Vrai □ Faux

6. Le condom n'est pas une protection contre les MTS (maladies transmises sexuellement).

□ Vrai □ Faux

7. L'homosexualité est une maladie contagieuse.

□ Vrai □ Faux

8. La consommation d'alcool et de drogues permet d'améliorer les relations sexuelles.

□ Vrai □ Faux

9. La violence physique est une façon de régler les disputes avec ma copine ou mon copain.

□ Vrai □ Faux

10. L'intimité, c'est lorsque je parle de mes sentiments à une personne en qui j'ai confiance.

□ Vrai □ Faux

Résultat: _____ /10

Source : Durocher, L. et Fortier, M. (1999)

Atelier 2 (90 min)

Introduction à la sexualité et exercices de communication

Objectifs généraux

Amener les participants à partager leurs émotions, à améliorer leurs habiletés de communication et à créer un climat chaleureux dans le groupe.

1. Retour sur la présentation du programme, des activités et du calendrier ainsi que sur les évaluations. Récupérer s'il y a lieu les fiches signées et autres questionnaires (10 min).
2. Présentation des individus du groupe : nom, âge, activités préférées, autres renseignements pertinents (15 min).
3. Règles des ateliers : politesse, respect des autres, présence, attitude positive. Disponibilités de l'intervenant après chaque atelier. Remettre à chaque participant le document 2.1 (5 min).
4. Exercice de « réchauffement ».

   Question : *Qu'est-ce que la sexualité ?* (30 min)

   Remue-méninges de 5 minutes en sous-équipes. Chaque équipe prend en note le plus grand nombre de mots, phrases et images évoqués et compte ensuite le nombre de mots qu'elle a inscrits. Les équipes nomment ensuite leurs mots et l'animateur les inscrit sur une grande feuille ou un tableau. À la fin de cet exercice, demander aux participants où ils ont appris ces mots (journaux, radio, livres, cours, etc.) Mettre l'accent sur l'importance d'utiliser un langage juste et respectueux. Féliciter chaque équipe et présenter le deuxième exercice.
5. Exercice de communication (20 min).

   Diviser le groupe en deux sous-groupes. Le premier s'installe au centre, en cercle (dos à dos) et l'autre lui fait face. Les participants du cercle extérieur posent les questions aux participants du cercle intérieur.

   - Qu'est-ce qui te fait le plus plaisir ?
   - Comment aimes-tu passer le temps ?
   - Qu'est-ce qui te fait peur dans la vie ?

   Pour chaque question, il doit y avoir une rotation des gens de l'extérieur vers la droite. Ensuite, inverser les groupes.

Conclusion

Rappeler l'objectif de la rencontre et souligner le travail de chacun. Répondre aux questions du groupe (10 min).

Activité inspirée de Kempton (1993)

Document 2.1	Comportements et habiletés encouragés dans les discussions de groupe

1. Manifester son intérêt aux autres participants par le regard et l'écoute attentive.

2. Attendre que l'autre ait terminé son intervention avant de parler.

3. Donner son opinion et défendre son point de vue.

4. Amener des critiques constructives et des suggestions.

5. Apprendre à décoder les intentions des autres.

Atelier 3 (90 min)

L'amour et l'amitié

Objectifs généraux

Amener le participant à reconnaître les caractéristiques liées à l'amour et à l'amitié ainsi que celles qu'il aimerait retrouver chez un partenaire.

1. Faire un retour sur le questionnaire de connaissances. Donner des explications supplémentaires et discuter des résultats globaux du groupe (15 min).
2. Discussion : *Quelles sont les différences entre l'amour et l'amitié ?*

   Qu'est-ce qui m'attire chez l'autre (caractéristiques physiques, psychologiques, personnalité, affinités, etc.) ? (Voir les questions de discussion proposées dans le document 3.1, 20 min.)
3. Activité : « Mes valeurs dans les relations interpersonnelles » (document 3.2, 15 min).
4. Jeu des petites annonces : apprendre à décoder les messages. Explorer deux petites annonces (document 3.3, 20 min) :
   - « Kiki et jeune gars de 25 ans » : amour ou amitié ?
   - Quel message est livré ? Comment décoder et lire « entre les lignes » ?
5. Activité : « Recherché » (document 3.4, 20 min).

   Concevoir sa propre petite annonce : se décrire (qualités, forces, caractéristiques physiques, goûts, etc. et décrire l'être recherché). L'objectif de cette activité est de « briser la glace » afin de mieux se connaître soi-même et de nommer les caractéristiques recherchées chez un ami ou un partenaire.

Source : Durocher, L. et Fortier, M. (1999)

Document 3.1	Informations pour l'animateur

Objectifs particuliers

Ce thème vise à favoriser l'épanouissement des relations interpersonnelles des participants et celui d'une sexualité enrichissante. En leur donnant l'occasion d'explorer différentes facettes de la sexualité à l'adolescence, ainsi qu'à l'âge adulte et en leur fournissant les connaissances et les compétences nécessaires pour entretenir avec les autres des relations humaines saines, ils pourront développer un meilleur jugement. Au moyen de ce thème, les participants seront amenés à :

- Développer leur capacité de réfléchir et de s'exprimer sur différents aspects de la sexualité ;
- Découvrir leurs valeurs quant à l'amour, l'amitié et la sexualité, et à amorcer une réflexion, un échange sur ces valeurs ;
- Considérer que leur opinion personnelle est aussi importante que celle de leur partenaire ;
- Respecter les différences et les opinions d'autrui.

Cet atelier permettra aussi :

- D'aider les participants à communiquer davantage avec leur partenaire en leur fournissant des trucs concrets et des outils pour discuter ou faire une activité conjointe ;
- De présenter aux participants différents exemples de comportements sains et positifs en ce qui a trait à la sexualité.

Questions pour l'animation

- Quelles sont les caractéristiques de l'ami ou du partenaire recherché ou idéal ?
- Qu'est-ce qui est attrayant chez l'autre ?
- Comment devient-on amoureux ? Comment fait-on pour être attiré vers une autre personne ? Pour ressentir de l'excitation ?
- Est-ce difficile de se décrire soi-même, de nommer ses qualités, etc. ?
- Quelles sont tes forces, les choses dans lesquelles tu excelles ? Comment te décrirais-tu ?

Source : Durocher, L. et Fortier, M. (1999)

Document 3.2	Mes valeurs dans les relations interpersonnelles

En établissant ce qui est important dans ta vie, tu prends conscience de tes valeurs et de l'importance que tu leur accordes. Fais cet exercice et compare tes réponses avec celles des autres participants : cela vous permettra de mieux vous comprendre. Inscris un nombre (de 1 à 18) pour chacune des valeurs suivantes (1 correspond à ce qui est le plus important, alors que 18 correspond à ce qui est le moins important pour toi).

___ Le respect de soi-même

Le respect des autres

___ La beauté

Le plaisir

___ L'amitié

La liberté

___ L'amour

La curiosité

___ Le bonheur

L'honnêteté

___ La fidélité

Le partage

___ L'intelligence

La sexualité

___ La confiance en soi

Le sens de l'humour

___ La tendresse

L'égalité

Source : Durocher, L. et Fortier, M. (1999)

Document 3.3	Le jeu des petites annonces

But: aider les participants à décoder les messages et les intentions des deux annonces.

Salut. Je m'appelle Kiki. J'ai 25 ans, les cheveux et les yeux bruns. Je suis une fille sympathique et relaxe. Je cherche le genre de mec qui est relaxe tout comme moi, qui aime la musique, les sorties, les randonnées dans les bois et un peu de tout. En passant, je me cherche un musicien aussi, avis à ceux qui sont intéressés. Si tu veux me joindre dans ma boîte vocale, c'est le numéro 3058.

*Jeune gars, 25 ans, aime musique rock, quatre-roues, moto, resto, ciné, nature, cherche jeune gars 18-20 ans, sachant ce qu'il veut, pour relation stable, durable, sincère, pas compliquée. *4219*

Source : Durocher, L. et Fortier, M. (1999)

Document 3.4	RECHERCHÉ

Salut, mon nom est...

____

Je recherche une personne qui...

____

Source : Durocher, L. et Fortier, M. (1999)

Atelier 4 (90 min)

Les aspects physiologiques de la sexualité

Objectifs généraux

- Réviser les connaissances de base en anatomie, plus particulièrement celles relatives aux organes génitaux masculins et féminins (termes, caractéristiques et fonctions);
- Amener les participants à parler des manifestations anatomiques, physiologiques et psychologiques en lien avec la sexualité, tout en favorisant une image positive du corps.

1. Retour sur le dernier atelier: discussion et expérience vécue par les participants. (10 min)
2. Discussion: *Être adulte, qu'est-ce que ça signifie?*

   Échanges sur la maturité sexuelle, la fonction des organes génitaux et la reproduction (nature des organes génitaux, sensations physiques liées au plaisir sexuel, désir d'enfant, etc.). (Documents 4.1 et 4.2, 30 min.)
3. Présentation du schéma des phases de la réponse sexuelle humaine: suivre la feuille d'instructions (document 4.2, 20 min).
4. Schéma des organes génitaux masculins et féminins: écrire le nom de chaque organe afin de vérifier le niveau de connaissance de chaque participant (documents 4.4 à 4.7). Discuter de la fonction des organes à l'aide du document 4.9 (30 min).

Activité complémentaire suggérée

5. Film *La masturbation* (en français seulement), de la série *Silence, on s'ex... prime!* ou film sur les comportements sexuels.

Source: Durocher, L. et Fortier, M. (1999)

Document 4.1	Informations pour l'animateur

En abordant les changements et les transformations corporelles, ce thème sert d'introduction aux différentes notions à présenter en éducation sexuelle. Le passage de la puberté à l'âge adulte entraîne toute une série de questionnements chez les jeunes. La compréhension des changements anatomiques, physiologiques et psychologiques liés à la puberté peut aider les adolescents à calmer leurs inquiétudes et à réagir de façon positive aux transformations qui s'opèrent en eux. En ce qui concerne les adultes, les aspects physiologiques permettent de consolider les informations déjà acquises et d'explorer les notions plus spécifiques. Le matériel pédagogique et les activités d'apprentissage de cet atelier sont conçus pour répondre à ce questionnement : ils encouragent les participants à exprimer leurs sentiments et leurs préoccupations et à jouer ainsi, comme intervenant, un rôle actif dans leur évolution en cherchant des réponses à leurs questions.

Ce n'est pas facile pour les participants d'aborder de manière ouverte et intime des sujets très personnels. Quand vient le temps de parler de leur corps, bien des participants deviennent silencieux, prétextant tout connaître sur l'anatomie. Cela peut être intimidant pour certains. Le rôle de l'animateur est d'établir un dialogue sur les questions relatives à la puberté, à l'anatomie et à la physiologie. Voici quelques suggestions pour faciliter l'animation :

- Utilisez un langage précis et facile à comprendre ;
- Définissez les nouveaux termes et donnez une information et des exemples concrets ;
- Créez une atmosphère qui permettra aux participants de se sentir à l'aise de poser des questions, de parler de leurs expériences et d'explorer leurs sentiments ;
- Encouragez-les à s'exprimer dans leurs propres mots. Acceptez le langage populaire tout en favorisant l'utilisation de termes appropriés ;
- Soyez réceptif à l'expression de tout genre de sentiment.

Les participants sont encouragés à poser leurs questions, à nommer leurs inquiétudes et, s'ils le désirent, à parler de leurs expériences. Plusieurs sont envahis par des questions et des émotions nouvelles et s'inquiètent parfois de savoir s'ils sont « normaux ».

En plus des informations objectives concernant leur corps, les participants ont besoin d'aborder les valeurs et les sentiments liés à leur genralité. Malgré les nombreuses préoccupations présentes à l'adolescence ou à l'âge adulte, le sentiment d'appartenance est important. Ce bien-être amène plus d'ouverture quant aux différences et aux ressemblances.

Bref, ce thème invite chacun à se sentir plus à l'aise dans sa réalité d'adolescent ou d'adulte. Parmi les activités qui suivent, certaines permettent les échanges et les confidences, tandis que d'autres confirmeront les connaissances déjà acquises.

Source : Durocher, L. et Fortier, M. (1999)

Objectifs particuliers

Ce thème aborde les manifestations anatomiques, physiologiques et psychologiques liées à la sexualité, tout en favorisant une image positive de soi. Les participants seront amenés à :

- Décrire les changements anatomiques, physiologiques et psychologiques qui accompagnent la puberté ;
- Identifier les organes génitaux internes et externes chez l'homme et la femme et connaître les fonctions de chacun ;
- Comprendre les changements physiques qui surviennent à la puberté ;
- Décrire les étapes du cycle de la réponse sexuelle ;
- Comprendre les différents aspects de l'éveil sexuel ;
- Acquérir une image de soi favorable et une attitude positive à l'égard des transformations qui surviennent au cours de la puberté.

L'atelier permettra aussi de :

- Circonscrire les manifestations de la croissance sexuelle et du cycle de la réponse sexuelle chez l'adulte ;
- Situer le phénomène de la puberté dans le développement global du participant ;
- Discuter avec les participants de leurs craintes et de leurs joies devant les transformations physiques et psychologiques qui surviennent à la puberté.

Questions pour l'animation

1. Quelles sont les différences entre un enfant et un adolescent ? Quelles sont les différences entre un adolescent et un adulte ?

   Exercice de remue-méninges : Demander aux participants de nommer les mots qu'ils connaissent pour décrire les organes génitaux masculins et féminins. Dans un deuxième temps, demander les termes exacts correspondant aux mots qu'ils ont nommés.

2. Terminer la discussion en insistant sur le fait qu'utiliser les termes exacts pour décrire les organes génitaux et les organes de reproduction favorise le respect, la communication et la compréhension.

Source : Durocher, L. et Fortier, M. (1999)

Document 4.2	Phases de la réponse sexuelle humaine

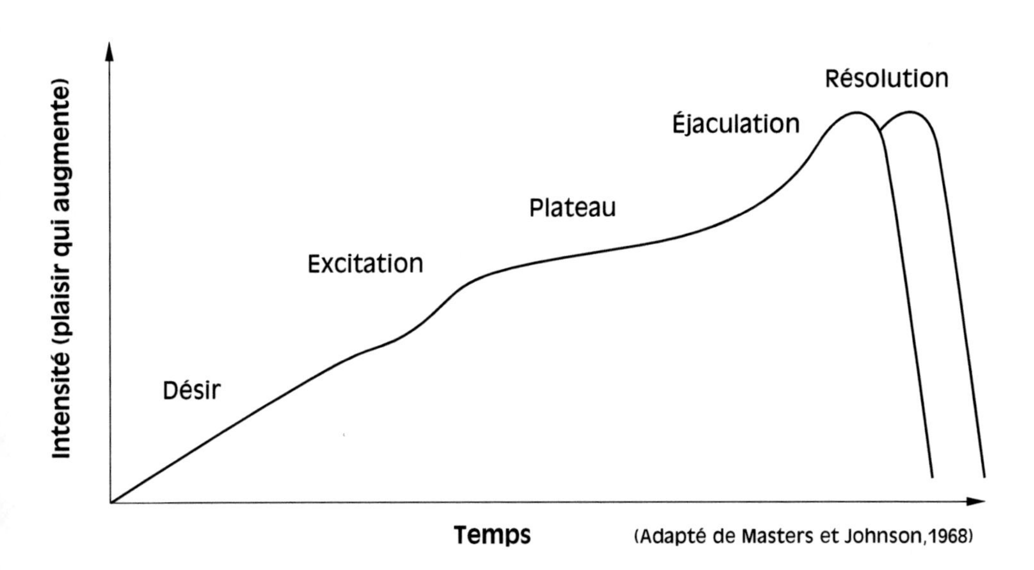

1. Désir : sentiments, attirance.
2. Excitation : homme : érection ; femme : lubrification vaginale.
3. Plateau : excitation stabilisée et augmentation de la tension sexuelle.
4. Orgasme : contractions involontaires des muscles pelviens et sensation de plaisir, durée de 5 à 15 secondes.
5. Résolution : diminution de l'excitation et retour à la phase de repos (réfractaire) :
   - Homme : période réfractaire où les stimulations sexuelles ne provoquent pas une nouvelle excitation ; un moment de repos est nécessaire ;
   - Femme : possibilité d'être à nouveau excitée et d'expérimenter plus d'un orgasme.

Document 4.3	Liste des organes urogénitaux féminins et masculins

- Trompes de Fallope
- Ovaires
- Scrotum
- Testicules
- Pénis
- Clitoris
- Canaux déférents
- Pénis
- Ouverture du vagin
- Petites lèvres
- Spermatozoïde
- Grandes lèvres
- Prostate
- Urètre
- Ovule
- Utérus
- Col de l'utérus
- Gland
- Anus
- Méat urinaire
- Gland
- Vagin
- Vulve
- Scrotum
- Méat urinaire

Source : Durocher, L. et Fortier, M. (1999)

Document 4.4	Dessins des organes génitaux masculins

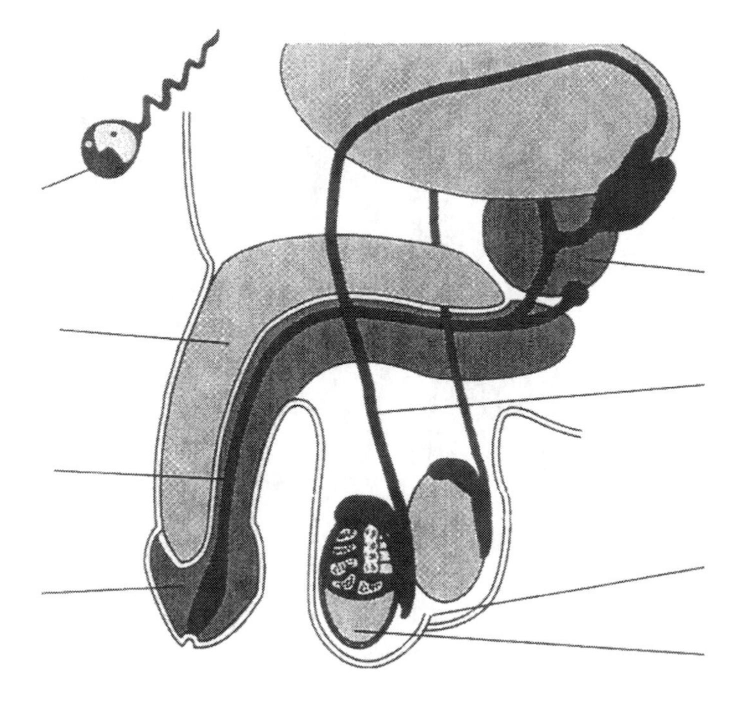

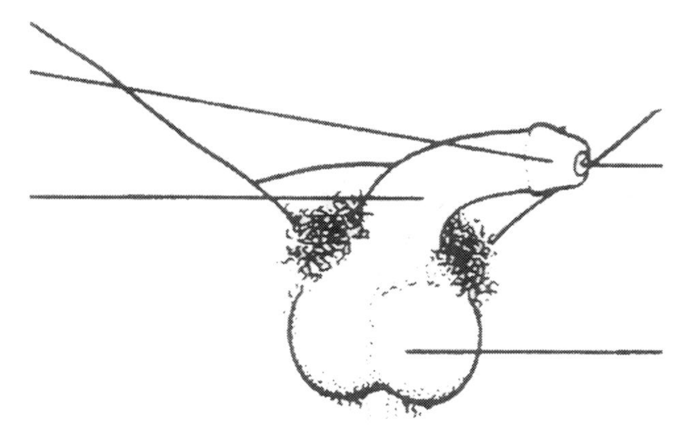

Source : Durocher, L. et Fortier, M. (1999)

Document 4.5	Dessins des organes génitaux masculins

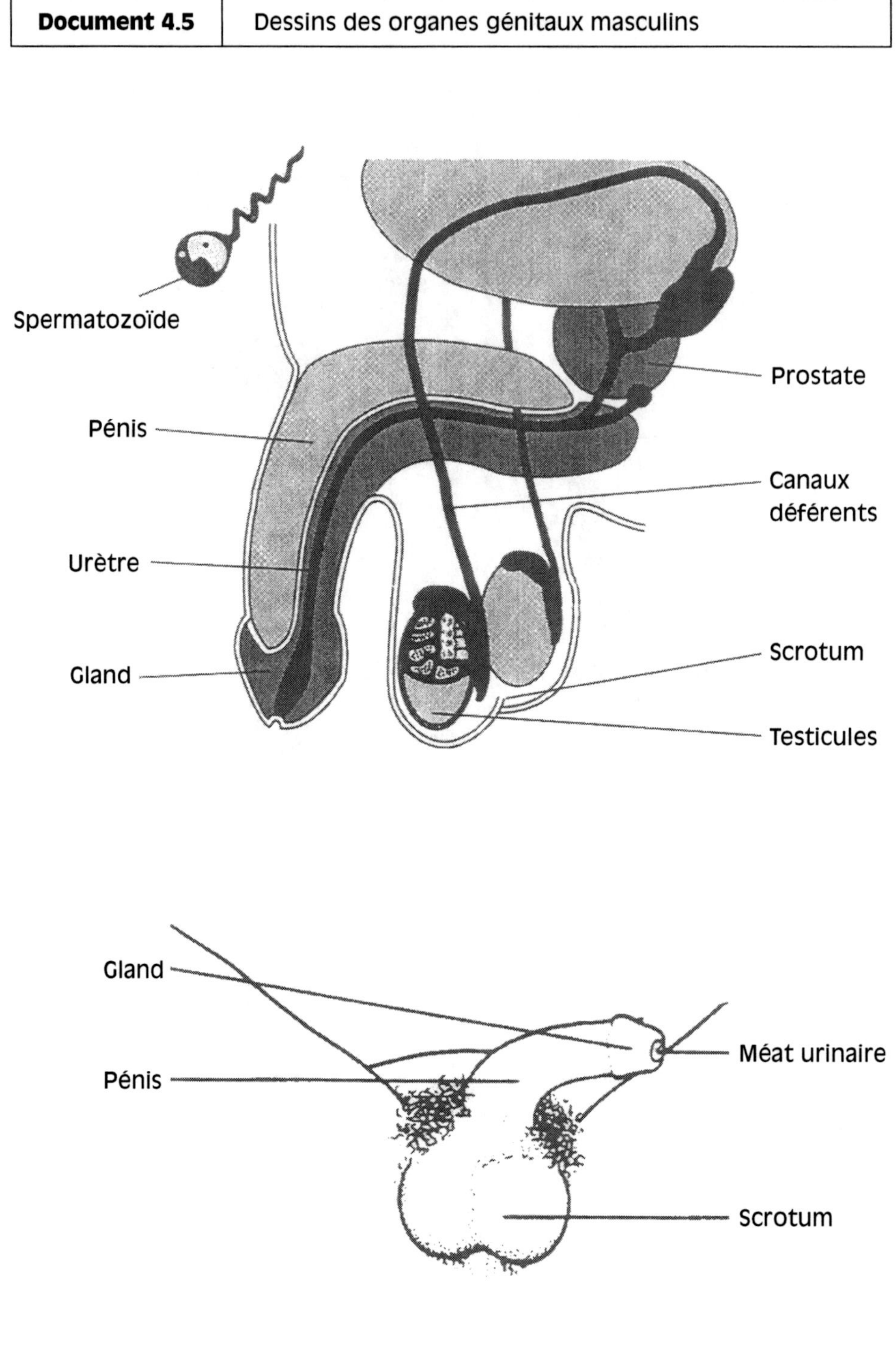

Source : Durocher, L. et Fortier, M. (1999)

Document 4.6	Dessins des organes génitaux féminins

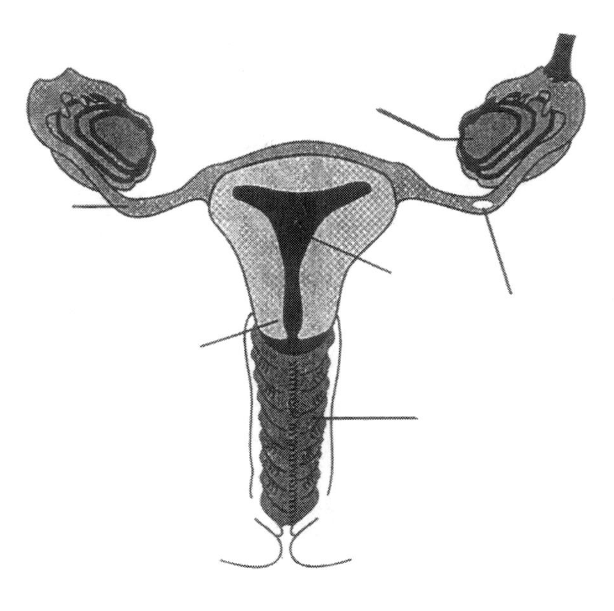

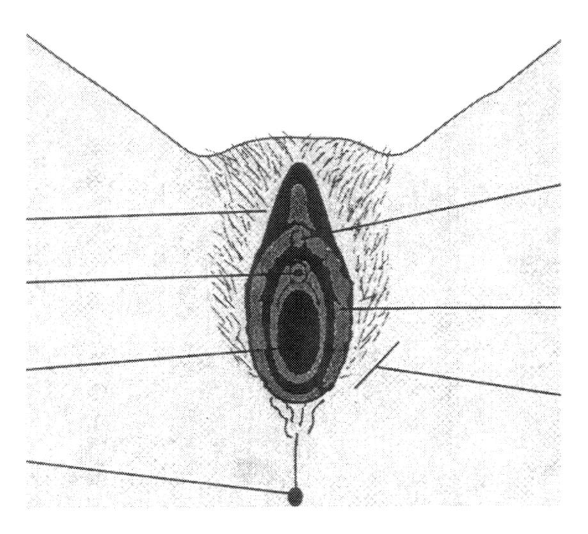

Source : Durocher, L. et Fortier, M. (1999)

Document 4.7	Dessins des organes génitaux féminins

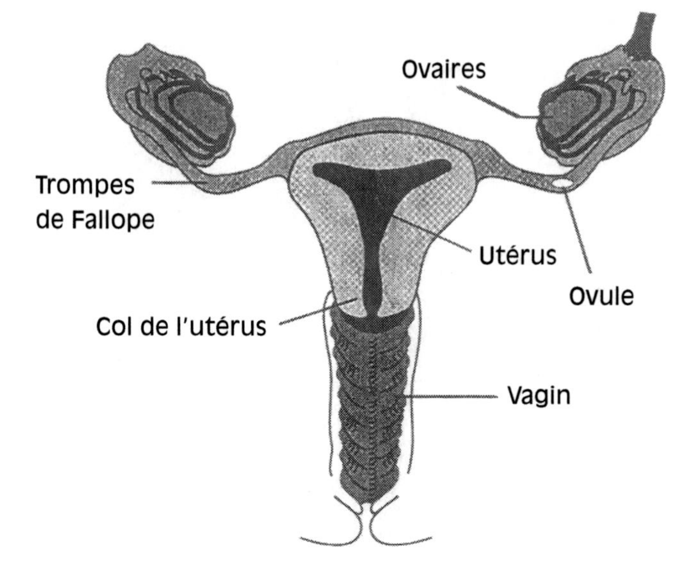

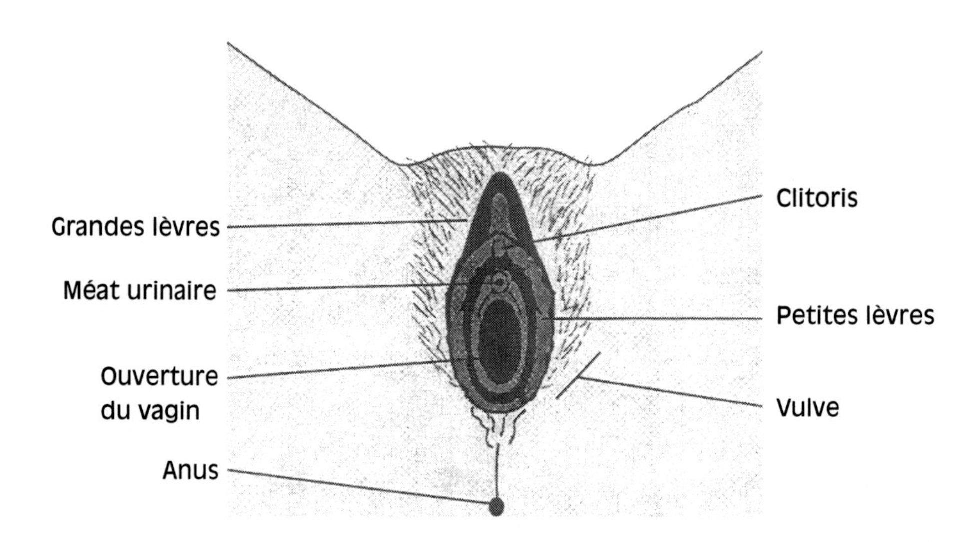

Source : Durocher, L. et Fortier, M. (1999)

Document 4.8	Fonctions des organes urogénitaux

Vagin: Conduit extensible qui va de la vulve à l'utérus et qui permet l'écoulement du sang menstruel. Le vagin n'est pas très large, mais son élasticité lui permet de s'adapter à la pénétration du pénis et au passage du bébé lors de l'accouchement.

Utérus: Organe interne féminin en forme de pochette. C'est l'organe dans lequel le bébé se développe pendant les neuf premiers mois de sa vie.

Trompes de Fallope: Deux tubes de la grosseur d'un spaghetti et d'environ 10 cm de longueur qui conduisent les ovules des deux ovaires jusqu'à l'utérus.

Ovaires: Glandes qui produisent les ovules.

Ovule: Cellule de reproduction fabriquée et contenue dans les ovaires de la femme.

Col de l'utérus: Partie étroite à la base de l'utérus et qui sécrète la glaire cervicale.

Grandes lèvres: Replis de peau recouverts de poils sur leur face externe. Derrière se trouvent les petites lèvres, le clitoris et l'entrée du vagin.

Petites lèvres: Replis de peau rougeâtre à l'intérieur des grandes lèvres; elles se rejoignent au-dessus du clitoris. Elles peuvent avoir un aspect différent d'une femme à l'autre.

Clitoris: Petit organe sexuel féminin. Le clitoris est très sensible au toucher. À la puberté, il augmente de volume. Lorsqu'une femme est excitée sexuellement, le clitoris se gonfle de sang et augmente de volume. Il a pour unique fonction le plaisir.

Anus: Orifice de la partie terminale de l'intestin qui permet la libération des matières fécales (selles).

Urètre: Canal qui part de la vessie et par lequel l'urine est éliminée. Chez l'homme, il sert aussi à évacuer le sperme lors de l'éjaculation.

Pénis: Organe sexuel masculin qui se raidit sous l'effet de l'accumulation de l'afflux de sang (érection). C'est par lui que s'écoulent l'urine et le sperme.

Testicules: Deux organes masculins de forme ovale qui produisent les spermatozoïdes et les hormones sexuelles. Ils sont contenus dans le scrotum et sont très sensibles.

Canaux déférents: Tubes qui conduisent les spermatozoïdes des testicules jusqu'à la prostate.

Spermatozoïde: Cellule de reproduction produite dans les testicules.

Scrotum: Poche située sous le pénis et contenant les testicules. Le scrotum les protège et les garde à une température leur permettant de produire des spermatozoïdes sains.

Vessie: Sac qui contient l'urine.

Prostate: Glande située sous la vessie et qui produit une grande partie du sperme.

Source: Durocher, L. et Fortier, M. (1999)

Atelier 5 (90 min)

Les relations sexuelles et autres comportements

Objectifs généraux

Amener le participant à décrire ce qu'est pour lui une relation sexuelle, à nommer les différents comportements sexuels et à cerner les motifs qui incitent à vivre des relations sexuelles.

1. Les peurs (25 min)

   L'objectif est de permettre aux participants d'exprimer leurs craintes face aux relations sexuelles (document 5.1). Faire remplir la feuille intitulée « Les peurs » et en discuter en groupe (document 5.2).

2. Une rencontre sexuelle (25 min)

   Le but de l'exercice est de réfléchir à ce qui peut rendre une relation sexuelle agréable. Faire remplir la feuille d'activité et en discuter en groupe (document 5.3).

3. Les cinq sens (40 min)

   L'hyposensibilité, l'hypersensibilité, la sensibilité acceptable ou normale: quelles sont les répercussions sur la sexualité ? Quels sont les moyens et les interventions visant à diminuer l'effet des sensibilités sur les comportements sexuels ? (*Voir le chapitre 2*)

   Tester les différents sens à l'aide des expériences proposées (« Les cinq sens », document 5.4) et discuter des moyens d'aide concrets liés aux sensibilités des participants.

Activité complémentaire

Film *La première relation sexuelle* (en français seulement), de la série *Silence, on s'ex...prime !* ou tout autre film lié à ce thème.

Source : Durocher, L. et Fortier, M. (1999)

Document 5.1	Informations pour l'animateur

Il est fort possible que l'animateur soit questionné sur son expérience personnelle. Il faut s'y préparer et se permettre de refuser toute question jugée trop personnelle. L'objectif de la rencontre est de fournir une information objective et non de partager un vécu personnel.

Il se peut que l'animateur de même que les participants se sentent parfois mal à l'aise d'aborder le sujet des relations sexuelles ; c'est effectivement un thème intimidant. Un brin d'humour facilite souvent la tâche... De plus, l'animateur est invité à respecter le choix des participants qui préfèrent demeurer silencieux.

Par ailleurs, il est primordial d'établir un dialogue franc et d'éviter les jugements de valeur. Il est fort probable que les participants poseront parfois des questions dont l'animateur ignore les réponses. Il est possible de profiter de cette occasion pour inviter les participants à trouver l'information et pour leur signifier que, dans le domaine de la sexualité, l'apprentissage n'est jamais terminé.

Des éléments importants sont à considérer tout au long de l'animation des activités sur les relations sexuelles tels que l'âge des participants, leur degré de maturité et le vécu sexuel de chacun. De plus, certains facteurs d'ordre ethnoculturel doivent être pris en considération. Par exemple, lorsque l'on traite de la virginité ou de la rupture de l'hymen, il faut savoir qu'il existe des différences culturelles en ce qui a trait aux relations sexuelles hors mariage. Pour certains, un hymen intact est considéré comme l'indice de la virginité. En ce qui concerne la circoncision, il faut savoir que certains subissent cette intervention quelques jours après leur naissance, et ce, souvent par conviction religieuse. L'animateur doit se montrer ouvert à la diversité culturelle.

Les informations à fournir, le vocabulaire à employer et les moyens utilisés pour transmettre l'information doivent être adaptés aux caractéristiques du groupe. Il est très important pour l'animateur de se rappeler que ce ne sont peut-être pas tous les participants qui ont vécu une relation sexuelle ou qui sont actifs sexuellement. Les zones d'intérêt, les préoccupations et les questions peuvent être fort différentes au sein d'un même groupe. En somme, ce thème leur permettra de bien se préparer et de mieux vivre les premières ou les prochaines relations sexuelles...

Source : Durocher, L. et Fortier, M. (1999)

Tout au long des activités, l'animateur doit être sensible aux nombreuses peurs que vivent les participants face aux relations amoureuses et sexuelles. C'est un sujet qui suscite de nombreuses craintes et parfois de la culpabilité chez certains d'entre eux. Voici une liste de questions et de craintes qui préoccupent souvent les participants : elle permettra à l'animateur de bien se préparer.

- Est-ce qu'elle va me trouver beau ? Est-ce qu'il va me trouver belle ?
- Qui fait les premiers pas ?
- Mon pénis est-il assez gros ?
- Comment savoir si l'autre aime cela ?
- Est-ce que cela fera mal ?
- Est-ce que je vais être déçu(e) ?
- Est-ce que cela paraît lorsque c'est la première fois ?
- Est-ce que tout le monde va s'en apercevoir ?
- Est-ce que je vais éjaculer trop vite ?
- Est-ce que je serai capable d'avoir du plaisir ?
- Qu'est-ce qu'un orgasme ?
- Est-ce que j'ai trop de poils ?
- Comment proposer le condom ? Va-t-il ou va-t-elle accepter ?
- J'ai peur de devenir enceinte...
- J'ai peur de ne pas être à la hauteur...
- J'ai peur d'attraper des maladies...
- J'ai peur qu'elle/il me laisse tomber par la suite...
- J'ai peur de décevoir...
- Mes parents vont-ils s'en apercevoir ?
- Comment vais-je m'y prendre ?
- Est-ce que l'autre va aller tout raconter à ses amis ?
- Etc.

Toutes ces questions sont fréquentes. Les participants ont besoin de se faire rassurer et de dédramatiser certaines interrogations. Il est bon de discuter du degré de satisfaction généralement peu élevé de la première relation sexuelle. La sexualité s'inscrit dans un processus de découverte de soi et de l'autre.

Source : Durocher, L. et Fortier, M. (1999)

Objectifs particuliers

Ce thème permettra aux participants de connaître et de comprendre les différentes dimensions liées aux relations sexuelles. Ils seront amenés à :

- Décrire ce qu'est pour eux une relation sexuelle ;
- Nommer les différentes formes que peuvent prendre les relations sexuelles et à cerner les motifs qui incitent les personnes à vivre des relations sexuelles ;
- Parfaire leurs connaissances concernant les composantes d'une relation sexuelle ;
- Reconnaître certaines formes de plaisirs que comportent les relations sexuelles ;
- Découvrir certains mythes courants liés aux relations sexuelles ;
- Nommer certaines conditions nécessaires à une relation sexuelle enrichissante.

Source : Durocher, L. et Fortier, M. (1999)

Document 5.2	Les peurs

Voici une liste de peurs en lien avec les relations amoureuses et sexuelles. Encercle les peurs dans lesquelles tu te reconnais.

A Peur de ne pas plaire

B Peur de le regretter

C Peur qu'on me compare

D Peur d'avoir de la douleur

E Peur d'avoir une déception

F Peur de montrer ma nudité

G Peur de ne pas savoir quoi dire ou quoi faire

H Peur d'attraper des maladies

I Peur de me faire refuser

J Peur de démarrer une grossesse

K Peur de montrer mon manque d'expérience

L Peur de ne pas avoir d'érection

M Peur de décevoir

N Peur d'éjaculer trop vite

O Peur de paraître facile

P Peur de ne pas avoir un corps assez beau (cuisses, ventre, pénis, seins, poils, muscles)

Q Peur que ce soit trop intime

R Peur de ne pas avoir de plaisir ou d'orgasme

S Peur de ce que vont penser les autres

T Peur qu'on me laisse tomber après

U Peur de provoquer, de forcer l'autre

V Peur que l'autre raconte tout

W Peur que l'autre ne veuille rien d'autre que du sexe

X Y Z Peur de...

Si tu as encerclé 10 peurs ou plus, tu es dans la moyenne. Ne reste pas seul ou seule avec tes peurs. Parles-en, tu auras moins peur...

Bouchard, Keller et Saint-Jean (1988). Source : Durocher, L. et Fortier, M. (1999)

Document 5.3	Une rencontre sexuelle

Une rencontre sexuelle, c'est agréable...

- **QUAND** je suis prêt ou prête, c'est-à-dire lorsque le besoin et le goût viennent vraiment de moi et non des pressions extérieures;
- **QUAND** ce que je fais est en accord avec mes valeurs;
- **QUAND** je choisis quelqu'un qui me plaît et envers qui j'éprouve du désir, de l'amour ou de l'affection;
- **QUAND** nous nous sentons bien ensemble, que nous pouvons combler nos besoins de tendresse, de plaisir et de communication;
- **QUAND** nous prenons la peine de nous connaître, de nous parler, de nous dire nos goûts, nos émotions;
- **QUAND** je connais et que j'aime mon corps ainsi que le corps de l'autre;
- **QUAND** je me donne le temps;
- **QUAND** je suis attentif ou attentive à mes besoins et à ceux de l'autre;
- **QUAND** j'explore ma capacité de me laisser aller dans une relation sans uniquement miser sur l'orgasme;
- **QUAND** j'utilise une bonne méthode contraceptive lorsque je ne suis pas prêt ou prête à avoir un enfant;
- **QUAND** je me protège contre les MTS et le sida.

Une rencontre sexuelle, c'est moins agréable...

- **QUAND** je n'ai aucun sentiment envers l'autre, que je ne le respecte pas ou que je ne m'en soucie pas;
- **QUAND** j'ai des relations sexuelles plus souvent que j'en ai vraiment envie et que j'en retire très peu de plaisir;
- **QUAND** je le fais surtout à cause des pressions sociales ou pour prouver que je ne suis pas différent ou différente des autres;
- **QUAND** je le fais toujours en vitesse, avec la peur qu'on nous surprenne;
- **QUAND** je le fais uniquement pour plaire à l'autre;
- **QUAND** je vais à l'encontre de mes principes et valeurs;
- **QUAND** je n'utilise aucune méthode contraceptive alors que je ne désire pas une grossesse;
- **QUAND** nous ne parlons ni avant, ni pendant, ni après et que nous ne nous donnons pas la chance d'être mieux ensemble;
- **QUAND** je n'utilise pas de moyen de protection contre les MTS et le sida.

Selon toi, qu'est-ce qui peut rendre une rencontre sexuelle agréable?

Adapté de Beaudoin et collab. (1980). Source: Durocher, L. et Fortier, M. (1999).

Document 5.4	Les cinq sens

Sens	– Hyposensibilité sous-sensibilité	Sensibilité acceptable	+ Hypersensibilité sursensibilité
1. Ouïe			
2. Odorat			
3. Toucher			
4. Vue			
5. Goût			

Expériences

1. Musique douce/bruit soudain
2. Parfum/alcool à friction
3. Fourrure/papier de verre, pressions
4. Couleurs vives/image floue
5. Citron/miel ou chocolat, etc.

Quels effets peuvent avoir tes sensibilités sur tes comportements sexuels?

____

____

____

____

____

____

Interventions ou trucs qui peuvent favoriser un certain confort (contrairement à certains malaises liés aux sensibilités).

____

____

____

____

____

____

Atelier 6 (90 min)

Les émotions

Objectifs généraux

Amener les participants à reconnaître différentes émotions, à favoriser l'expression émotive dans les situations du quotidien et à apprendre à décoder le visage humain.

1. Présenter les photos des visages humains de la *SexoTrousse* (Lemay, 1996). Chaque participant doit nommer l'émotion exprimée par chaque visage et expliquer dans quel contexte il est possible de la ressentir. Dans un deuxième temps, mimer l'expression et demander aux autres participants du groupe de deviner de quelle émotion il s'agit. (20 min)

   Vous pouvez fabriquer le matériel à partir de visages d'hommes et de femmes qui expriment les émotions de base (joie, colère, tristesse, peur, impassibilité, surprise, anxiété). Il est préférable d'utiliser des photos plutôt que des dessins ou des pictogrammes, car elles sont plus réalistes. Les photos de la banque d'images (*Emotions Library*) du logiciel *Mind-Reading* (Baron-Cohen et collab., 2002) peuvent être utilisées lors de cet atelier.

2. Jeux de rôles

   À tour de rôle, chaque participant tire une carte et mime son contenu (il ne doit pas parler). Les autres participants du groupe doivent deviner quelle émotion est mimée par le participant (document 6.1, 45 min).*

3. Logiciel *Gaining Face* (Team Asperger, 2000)

   Utilisation du logiciel et jeu-questionnaire final (noter les résultats obtenus par chaque participant). Le logiciel *Mind-Reading* (Baron-Cohen et collab., 2004) peut également être utilisé. (45 min) *

   * Diviser le groupe en deux équipes de quatre à six participants. Tout le groupe participe à l'activité 1, puis les deux sous-groupes alternent pour les activités 2 et 3.

Activité complémentaire

4. Proposer des réflexions sur le quotidien des participants sous la forme d'un journal intime. Présenter une série de questions auxquelles ils pourront répondre chaque semaine (voir le document 6.2). L'appareil *Biofeedback Biotouch Interactive Mood Light* (Sharper Image Design, 1999) peut également être utilisé. Suivre les instructions présentées à la section 3.4 du chapitre 3.

Document 6.1	Cartes des émotions

J'ai mal à la tête. Je suis de mauvaise humeur.	Je me suis fait du souci. Je ne sais pas si j'aurai assez d'argent pour payer mon loyer.
C'est triste aujourd'hui, car il pleut.	J'ai du plaisir quand je participe à une soirée.
Oh ! Quelle belle surprise !	Quand on va trop vite en auto, je tremble.
J'ai été surpris quand je t'ai vue ici.	Je tremble quand je marche seul dans la rue, la nuit.
Mon cœur bat très fort parce que je dois rencontrer mon patron.	Je me sens à l'aise parce que ça va bien au travail.
Je suis inquiète parce que mon ami est malade.	Je suis contente de moi parce que j'ai bien travaillé.
Mon amie m'a fait de la peine.	Je suis joyeux parce que mon amie m'a donné un cadeau.
Je suis bien quand mon ami est là.	Je me sauve quand des gens de ma classe se chicanent.
J'ai la conscience en paix. J'ai eu de bons résultats médicaux.	Mon cœur bat très fort parce que je t'ai vue ici.
Je suis déçu parce que mon ami n'est pas venu au restaurant.	Je suis mauvais, agressif, parce que mon éducateur n'est pas d'accord avec moi.

Source : Lemay, M. (1996)

Document 6.2	Exercices de réflexion sur les émotions

Bonjour!

Je te propose de compléter une série de réflexions. Il n'y a pas de bonnes ni de mauvaises réponses, c'est ce que tu écris qui est important. Ce n'est pas obligatoire de remplir toutes les lignes, écris ce que tu as à dire. Amuse-toi bien et laisse aller ton imagination!

Réflexion nº 1

Comment te sens-tu lors des ateliers d'éducation sexuelle?

____

____

____

Réflexion nº 2

Décris-moi les émotions ou sentiments que tu ressens en ce moment (tu peux cocher plus d'une émotion).

Heureux ou heureuse:	Oui ____	Non ____
Joyeux ou joyeuse:	Oui ____	Non ____
Neutre:	Oui ____	Non ____
Triste:	Oui ____	Non ____
Irrité ou irritée:	Oui ____	Non ____
En colère:	Oui ____	Non ____
Distrait ou distraite:	Oui ____	Non ____
Fatigué ou fatiguée:	Oui ____	Non ____
Autre:	Oui ____	Non ____

Réflexion nº 3

Explique-moi les émotions que tu ressens en donnant trois raisons pour chaque émotion où tu as coché « oui ».

____

____

____

Atelier 7 (90 min)

Les MTS, le sida et les moyens de prévention

Objectifs généraux

Transmettre les connaissances et développer chez les participants les habiletés nécessaires en ce qui a trait à la prévention et — de façon complémentaire au thème — à la contraception, afin de développer une sexualité responsable, ce qui implique l'adoption d'une méthode de contraception adaptée et efficace.

1. Présentation du thème et des conséquences concrètes des relations sexuelles protégées et non protégées. Questionner les participants sur ce thème, leur demander de nommer les maladies transmises sexuellement (maintenant appelées ITSS : infections transmissibles sexuellement et par le sang) qu'ils connaissent, les symptômes et les différents moyens de contraception sur le marché (document 7.1, 15 min).
2. Jeu-questionnaire sur la prévention et la contraception (document 7.2, 15 min).
3. « Sans condom, c'est non » (document 7.3, 15 min).
4. Démonstration par l'animateur à l'aide d'un modèle pénien : les étapes d'utilisation du préservatif (condom). (Document 7.4, 25 min.)
5. * Discussion à partir de la feuille-référence sur le niveau de risque de transmission du sida et des MTS (ITSS) en lien avec différentes activités sexuelles (document 7.5, 20 min).

   * Cette activité peut être remplacée par le film sur la prévention des MTS de la série *Silence, on s'ex...prime !* (en français) ou le film *Under Cover Dick* (en anglais), sur l'utilisation du condom. Ce film est distribué par Diverse City Press, à l'adresse www.diverse-city.com.

Source : Durocher, L. et Fortier, M. (1999)

Document 7.1	Informations pour l'animateur

L'animateur doit aborder le thème en suscitant l'intérêt afin d'amener chacun des participants à parler de contraception et de prévention des MTS et du sida. C'est pourquoi l'activité proposée en introduction est très importante. De plus, les activités ont été élaborées pour faire en sorte d'impliquer autant les garçons que les filles, car l'ensemble de l'atelier vise à mettre l'accent sur la responsabilité partagée lorsqu'il est question de contraception.

Soulignons aussi que le discours proposé se veut ouvert, positif et davantage axé sur le non-jugement des participants. Le respect des idées différentes doit transparaître dans le discours de l'animateur et dans la communication non verbale en vue d'encourager le groupe à participer aux discussions. En tout temps, la vie personnelle des participants doit être protégée et ceux-ci devront, dès le début, savoir qu'ils n'auront à aucun moment à dévoiler leurs expériences personnelles. De plus, l'animateur veillera à présenter une vision positive de la sexualité.

L'animateur doit savoir que, malgré l'existence de nombreux programmes de prévention, certains participants n'utiliseront aucun contraceptif lors de leurs relations sexuelles. Les programmes d'éducation sexuelle mettent l'accent sur l'importance pour les individus de s'impliquer, car ils ont en leur possession les éléments nécessaires pour faire un choix responsable. Il faut reconnaître que les participants ont peut-être déjà certaines connaissances, mais aussi beaucoup de fausses idées et de réticences quant à la contraception et à la prévention des MTS et du sida. Il s'avère primordial de rectifier certaines connaissances de même que les fausses croyances et de les inviter à s'engager plus activement.

Il ne faut pas oublier que le but de ce thème n'est pas de retenir toute l'information transmise sur chaque contraceptif, mais bien de retenir certaines caractéristiques pouvant éclairer leur décision.

Comme pour tout ce qui a trait à l'éducation sexuelle, il est important que les activités se déroulent dans une atmosphère de plaisir. Ainsi, lorsque le temps sera venu de manipuler différents contraceptifs, il faudra permettre aux participants d'exprimer leur gêne par quelques rires ou par l'humour. Il sera alors plus facile de discuter sérieusement par la suite et de maintenir une atmosphère où règne un certain respect.

Source : Durocher, L. et Fortier, M. (1999)

Objectifs particuliers

Ce thème vise à transmettre les connaissances et à développer chez les participants les habiletés nécessaires en ce qui a trait à la prévention et — de façon complémentaire — à la contraception, afin de développer une sexualité responsable, ce qui implique l'adoption d'une méthode de contraception adaptée et efficace. Les participants seront amenés à :

- Parfaire leurs connaissances concernant la contraception et la prévention des MTS et du sida ;
- Exprimer leurs sentiments à l'égard des méthodes contraceptives ;
- Discuter de la responsabilité masculine et féminine dans une démarche contraceptive ;
- Connaître les lieux où l'information et les services concernant la contraception et la prévention des MTS et du sida sont disponibles, gratuits et confidentiels ;
- Valoriser l'utilisation du condom comme mode de contraception et de prévention des MTS et du sida ;
- Prendre conscience de l'importance de se protéger et de protéger les autres.

Source : Durocher, L. et Fortier, M. (1999)

Document 7.2	Jeu-questionnaire sur la prévention et la contraception

Les jeunes adultes ont souvent des relations sexuelles irrégulières et imprévues. Les nombreuses études sur le sujet démontrent que les jeunes utilisent peu les moyens contraceptifs et de prévention des MTS. Les connaissances sur ce sujet sont donc très importantes pour vous permettre de faire de bons choix dans votre vie sexuelle. En répondant à ce petit jeu-questionnaire, peut-être apprendrez-vous quelque chose...

À vos crayons !

1. Les méthodes dites naturelles comme la « méthode du calendrier » ne sont pas recommandées, car elles ne sont pas totalement fiables.

   ☐ Vrai ☐ Faux

2. L'éjaculation près de la vulve comporte un certain risque de grossesse.

   ☐ Vrai ☐ Faux

3. Le condom est un moyen de contraception efficace pour prévenir les MTS.

   ☐ Vrai ☐ Faux

4. La « pilule du lendemain » ou la « contraception orale d'urgence » peut être prise jusqu'à trois jours après une relation sexuelle sans contraceptif ni protection.

   ☐ Vrai ☐ Faux

5. Le liquide prééjaculatoire contient assez de spermatozoïdes pour qu'il y ait possibilité de fécondation.

   ☐ Vrai ☐ Faux

6. La pilule anticonceptionnelle est très efficace pour éviter une grossesse si elle est bien utilisée.

   ☐ Vrai ☐ Faux

7. La pilule anticonceptionnelle ne protège pas contre les MTS.

   ☐ Vrai ☐ Faux

8. Un condom ne peut être réutilisé (utilisé plus d'une fois).

   ☐ Vrai ☐ Faux

9. Les adolescents sont fertiles dès le début de la puberté.

   ☐ Vrai ☐ Faux

10. La « pilule du lendemain » et l'avortement sont des mesures d'urgence et non des méthodes contraceptives.

    ☐ Vrai ☐ Faux

La contraception, ce n'est pas toujours évident. Continue de bien t'informer à ce sujet...

Source : Durocher, L. et Fortier, M. (1999)

Document 7.3	« Sans condom, c'est non »

Coche les énoncés qui, selon toi, sont les plus populaires, et discutes-en en groupe.

1. « Il n'y a pas de danger avec le sida ou les MTS : ce ne sont que des histoires... » ☐

2. « N'aie pas peur ! Ce n'est pas dangereux à notre âge... » ☐

3. « Si tu m'aimes vraiment, tu voudras avoir une relation non protégée... » ☐

4. « Si tu ne veux pas, c'est terminé entre nous... » ☐

5. « Juste une fois sans préservatif (condom)... La prochaine fois, nous l'utiliserons... » ☐

6. « Nous sommes fidèles, nous n'avons pas besoin d'utiliser de préservatif... » ☐

7. « Sans pénétration, ce n'est pas une vraie relation sexuelle... » ☐

8. « Fais-moi confiance ! J'ai de l'expérience dans le domaine... » ☐

9. « Il n'y a personne dans le groupe qui utilise des moyens de contraception... » ☐

Connais-tu d'autres réactions ?

Qu'est-ce que tu pourrais répondre pour faire face à cette pression, pour demeurer responsable ?

Source : Durocher, L. et Fortier, M. (1999)

Document 7.4	Technique d'utilisation du préservatif, étape par étape

1re étape

Vérifier la date d'expiration inscrite sur le sachet ou la boîte. Ouvrir le sachet avec délicatesse afin de ne pas endommager le condom. Attention aux bagues, ongles, dents, etc. Les condoms peuvent être achetés à la pharmacie, dans une distributrice et dans certaines boutiques spécialisées. Pour assurer la meilleure protection contre les MTS, ce sont des condoms de latex lubrifiés qui doivent être utilisés. Ils sont plus résistants et sont une barrière contre les germes responsables des MTS et du sida, ce qui n'est pas le cas pour les condoms en membrane naturelle. Les préservatifs en membrane naturelle sont à éviter.

Les condoms peuvent être vendus à l'unité ou en paquets de 3, 12, 24 ou 36. La date d'expiration est indiquée sur l'emballage et doit être vérifiée. Des boîtes endommagées, des enveloppes jaunies, des condoms au latex décoloré ou collant ne devraient pas être utilisés, car ils risquent d'être périmés.

Pour ceux qui ont des allergies au latex, il existe maintenant des préservatifs sans latex tout aussi efficace.

2e étape

Vérifier le sens du déroulement du condom (l'anneau doit être placé vers l'extérieur).

3e étape

Placer le condom sur le gland du pénis (la partie externe) en érection avant tout contact avec les organes génitaux du partenaire.

4e étape

Pincer le bout du condom pour expulser l'air. Prévoir un espace pour recueillir le sperme s'il n'y a pas de bout réservoir prévu. La majorité des condoms sur le marché comportent un bout réservoir. Il existe plusieurs marques, dont les principales sont: *Ramses*, *Sheik*, *Shields*, *Nuform*, *Prime*, *Beyond*, *Trojan*, etc. Certains condoms possèdent d'autres caractéristiques: ils peuvent être galbés, texturés, minces, avec spermicide, etc. On peut ainsi choisir le condom qui répondra le mieux aux exigences du couple.

5e étape

Dérouler le condom jusqu'à la base du pénis.

6e étape

S'assurer d'utiliser un lubrifiant à base d'eau si le préservatif n'est pas lubrifié.

Il ne faut jamais utiliser de vaseline, d'huile de bébé ou toute autre huile, car le latex risque d'être endommagé. Le lubrifiant permet de diminuer la friction et le risque de rupture de la membrane. De plus, il permet d'augmenter la sensibilité. Il est également conseillé d'utiliser un spermicide contenant du nonoxynol-9 pour augmenter la protection contre le sida et les MTS. Plusieurs lubrifiants contiennent un spermicide. Le spermicide à base de nonoxynol-9 est toutefois irritant pour la muqueuse anale.

7e étape

Après l'éjaculation, retirer le pénis en tenant le condom à la base pour éviter la fuite du sperme qui pourrait se produire avec la perte de l'érection.

8e étape

Récapitulation des sept étapes de façon consécutive par l'animateur ou un participant dans le groupe. De plus...

- Il ne faut jamais utiliser un condom plus d'une fois;
- Il ne faut jamais gonfler un condom avant de l'utiliser. Si un condom déchire, utiliser immédiatement un spermicide et retirer le pénis. En cas de doute, consulter un médecin pour la «pilule contraceptive du lendemain». Ranger les condoms dans un endroit frais et facilement accessible.

Source: Durocher, L. et Fortier, M. (1999)

Document 7.5	Niveau de risque de transmission du sida et des MTS pour différentes activités sexuelles

Activité	Risque sida	Risque MTS
1. Partager un rasoir	Faible	Moyen (hépatites B et C)
2. Caresses	Aucun	Aucun
3. Massage	Aucun	Aucun
4. Masturbation mutuelle	Aucun (si pas de contact entre les muqueuses ni avec une plaie sur la peau ou les sécrétions)	Faible (herpès)
5. Enlacement de corps nus	Aucun	Aucun (sauf morpions)
6. Contact bouche/vulve Avec protection	Aucun	Aucun
7. Pénétration doigt/anus	Aucun	Faible (parasites intestinaux et hépatite A)
8. Embrasser le corps de l'autre	Aucun	Aucun
9. Aiguilles non stériles pour tatouages et body piercing	Moyen	Moyen (hépatites B et C)
10. Bain avec partenaire	Aucun	Aucun
11. Frottement des organes génitaux	Faible	Moyen (condylomes, herpès, morpions)
12. Contact bouche/pénis avec condom	Aucun	Aucun
13. Pénétration vaginale avec condom	Faible	Faible (syphilis, condylomes, herpès, morpions)
14. Contact bouche/anus	Moyen	Élevé (parasites intestinaux, hépatite A, condylomes, herpès)
15. Recevoir un vaccin	Aucun	Aucun

Activité	Risque sida	Risque MTS
16. Personne séropositive qui éternue	Aucun	Aucun
17. Morsure par personne séropositive	Faible	Faible (hépatites B et C)
18. Toucher une personne séropositive	Aucun	Aucun
19. Baiser avec échange de salive	Faible	Faible (herpès)
20. Pénétration anale avec condom	Faible	Faible (syphilis, morpions, condylomes, herpès)
21. Pénétration vaginale sans condom	Élevé	Élevé
22. Relation bouche/vulve, bouche/pénis	Moyen	Moyen (syphilis, hépatite B, herpès)
23. Abstinence	Aucun	Aucun
24. Partage de seringue	Élevé	Élevé
25. Partage d'accessoires sexuels	Élevé	Élevé
26. Pénétration anale	Élevé	Élevé
27. Consoler quelqu'un qui pleure	Aucun	Aucun
28. Baiser sur la joue	Aucun	Aucun
29. Masturbation solitaire	Aucun	Aucun

Adapté de Durocher, L. et Fortier, M. (1999)

Atelier 8 (90 min)

L'orientation sexuelle

Objectif général

L'activité vise à amener les participants à discuter des différentes orientations sexuelles dans un climat qui favorise le respect et l'acceptation des différences (document 8.1).

1. Commencer la discussion en utilisant la *Liste des mythes véhiculés sur les orientations sexuelles* (document 8.2, 30 min).
2. Évaluer le degré d'ouverture face à l'homosexualité. Faire remplir le questionnaire *Suis-je homophobe ?* (Document 8.3, 30 min).
3. Terminer la rencontre par un film sur l'homosexualité ou la diversité sexuelle. Le film sur l'homosexualité de la série *Silence, on s'ex...prime !* peut être présenté. Conclure l'atelier par une discussion de groupe (30 min).

Source : Durocher, L. et Fortier, M. (1999)

Document 8.1	Informations pour l'animateur

Le sujet de l'orientation sexuelle n'est pas facile à aborder. Ce n'est pas parce qu'une personne a eu un comportement homosexuel qu'elle devient nécessairement homosexuelle. Plusieurs individus ont eu, à un moment de leur vie, des fantaisies homosexuelles. D'autres ont eu des expériences de nature homosexuelle lorsqu'ils étaient plus jeunes. Cela ne signifie pas automatiquement une orientation homosexuelle. L'orientation sexuelle se définit habituellement durant l'adolescence, lorsque le processus de puberté est terminé.

Les activités présentées aident les participants à cerner leurs valeurs et permettent d'ouvrir la discussion sur le thème de l'orientation sexuelle. Les valeurs exprimées par les participants peuvent différer de celles de l'animateur. Le rôle de ce dernier est de favoriser l'expression de chacun, sans adopter une attitude rigide ou moralisante.

Il est important d'utiliser un langage correct et respectueux. Différentes expressions peuvent être utilisées afin de décrire la diversité sexuelle (gai, lesbienne, homosexuel, bisexuel). Les expressions à connotation négative sont à éviter (tapette, moumoune, etc.).

L'animateur est disponible et ouvert à la discussion. Il doit être prêt à entendre le questionnement de certains participants quant à leur orientation sexuelle. Toutefois, l'atelier d'éducation sexuelle n'est pas un groupe de thérapie : l'objectif de discussion doit primer. Au besoin, adresser les participants qui le désirent à un professionnel.

En vue d'éviter les ambiguïtés, il est conseillé d'utiliser le terme « partenaire » plutôt que copain et copine. L'animateur doit également mettre l'accent sur la définition du terme « couple » qui inclut autant deux hommes ou deux femmes qu'un homme et une femme. Ce type de langage permet de limiter les stéréotypes et les jugements de valeur.

Enfin, le sujet de l'homosexualité peut susciter des émotions intenses. Certains participants peuvent avoir une opinion négative et émettre des commentaires blessants à l'égard des autres. L'animateur doit considérer la possibilité que certains participants soient d'orientation homosexuelle. C'est pour cela que l'atelier doit se dérouler dans une atmosphère de respect et d'ouverture.

Source : Durocher, L. et Fortier, M. (1999)

Objectifs particuliers

Ce thème vise à inciter les participants à discuter de l'orientation sexuelle dans un climat positif afin de favoriser l'acceptation des différences. Ils seront amenés à :

- Reconnaître et à prendre en considération les différences et les opinions d'autrui ;
- Exprimer leur point de vue, quel qu'il soit, alors que le groupe sera invité à écouter et à partager ;
- Cerner leurs valeurs par rapport à l'homosexualité et amorcer une réflexion qui permettra d'échanger au sujet des valeurs ;
- Reconnaître les préjugés et les stéréotypes véhiculés à l'égard de l'homosexualité ;
- Prendre conscience par le biais des discussions des conséquences de l'homophobie ;
- Faire preuve de plus de compréhension et d'ouverture envers les autres.

Source : Durocher, L. et Fortier, M. (1999)

Document 8.2	Liste des mythes véhiculés sur les orientations sexuelles

Un employeur peut congédier un employé parce qu'il est homosexuel.	Tous les gais ont le sida.
Un couple de personnes homosexuelles ne peut pas avoir d'enfants.	L'homosexualité est une maladie.
Dans un couple homosexuel, il y a toujours le genre « gars » et le genre « fille ».	Les gais et les lesbiennes ont de nombreux partenaires sexuels.
Un couple homosexuel ne peut éduquer adéquatement des enfants.	Toutes les lesbiennes sont des « garçons manqués ».
Si une personne homosexuelle me parle, elle va sûrement me faire des avances sexuelles.	Peu de jeunes se posent des questions quant à leur orientation sexuelle.
Tous les jeunes qui ont eu une expérience homosexuelle à l'adolescence sont des homosexuels.	Tous les homosexuels ont un appétit sexuel démesuré.
Ce n'est pas normal d'être homosexuel.	Il est impossible que quelqu'un de mon entourage soit homosexuel.

Source : Durocher, L. et Fortier, M. (1999)

Document 8.3 | Questionnaire

Suis-je homophobe* ?

*L'homophobie comprend l'ensemble des attitudes négatives à l'égard de l'homosexualité. Elle se manifeste par des injures, des blagues dégradantes ou de la violence physique.

Réponds à ce questionnaire. Il te permettra de réfléchir à tes valeurs et à tes comportements en lien avec l'homosexualité. Il n'y a pas de bonne ou de mauvaise réponse. Encercle la réponse qui te semble appropriée.

1 Point: Pas du tout
2 Points: Un peu
3 Points: La majorité du temps
4 Points: Toujours

1. Je me sentirais mal à l'aise de savoir qu'une personne de mon sexe me trouve de son goût.

1 2 3 4

2. Je me sentirais mal à l'aise de sentir que je suis attiré ou attirée par une personne de mon sexe.

1 2 3 4

3. Ça me désolerait d'apprendre qu'il y a parmi mes amis un gai ou une lesbienne.

1 2 3 4

4. Je ne me sentirais pas à l'aise dans un groupe de personnes homosexuelles.

1 2 3 4

5. Ça me dérangerait de savoir qu'un de mes proches est homosexuel.

1 2 3 4

6. Ça me dégoûterait de voir deux hommes ou deux femmes s'embrasser dans la rue.

1 2 3 4

7. Je me sentirais mal à l'aise si ma voisine ou mon voisin était homosexuel.

1 2 3 4

8. Dans une fête, je me sentirais mal à l'aise de discuter avec un gai ou une gaie.

1 2 3 4

9. Je serais gêné de consulter un médecin gai ou lesbienne.

1 2 3 4

10. Je serais mal à l'aise de traverser un quartier à prédominance gaie.

1 2 3 4

Résultats

De 10 à 20 points

Tu acceptes très bien les personnes homosexuelles. Ton attitude et tes comportements envers les personnes homosexuelles sont faciles à vivre. Ton ouverture aux gens pourrait en réconforter plusieurs.

De 20 à 30 points

Ton opinion est partagée. L'homosexualité est un fait que tu peux accepter, mais avec certaines réserves. En t'ouvrant un peu plus aux autres, la vie te réservera de bons contacts avec les gens.

De 30 à 40 points

Pour toi, l'homosexualité ce n'est pas évident. Cela semble difficile de te sentir bien avec cette réalité. Il serait peut-être utile pour toi de réévaluer tes relations avec les gais ou les lesbiennes de ton entourage ou ailleurs.

Source : Durocher, L. et Fortier, M. (1999)

Alcool, drogues et sexualité

Objectif général

Sensibiliser les participants à l'importance de prévenir les conséquences néfastes de la consommation abusive d'alcool et de drogues sur le plaisir et la santé sexuelle (document 9.1).

1. Amorcer la discussion sur l'alcool, les drogues et leur lien avec la sexualité, et faire ressortir les motifs proposés (document 9.2, 10 min).
2. Activité : scénario pour une rencontre amoureuse ou sexuelle excitante. Expliquer l'objectif et le déroulement de l'activité en se référant au document 9.3 (40 min).

   Les participants peuvent rédiger un scénario ou l'élaborer sous forme de collage ou de jeu de rôles, selon leur choix. Séparer le groupe en deux équipes et leur demander de remplir la feuille. Former un seul groupe si le nombre de participants est restreint.

   Chacune des équipes devra ensuite présenter ses résultats devant les autres participants (40 min : 2 x 20 min par équipe).
3. Les participants qui souhaitent faire une réflexion personnelle remplissent le document 9.4, « Les conséquences de la consommation sur ma santé sexuelle ».
4. Distribuer la brochure *Les jeunes et l'alcool,* disponible gratuitement à l'adresse www.msss.gouv.qc.ca.

Source : Durocher, L. et Fortier, M. (1999)

Document 9.1	Informations pour l'animateur

Pourquoi intégrer un thème sur l'alcool et les drogues au programme d'éducation sexuelle ?

Selon une enquête menée par Santé Québec en 1991, la consommation d'alcool et de drogues semble avoir une incidence sur les comportements sexuels des 12-18 ans. Les jeunes actifs sexuellement boivent deux fois plus que ceux sans expérience sexuelle. Soixante-quatorze pour cent des jeunes consommateurs d'alcool et de drogues n'utilisent pas le condom, comparativement à 55 % des jeunes qui ne boivent pas. En état d'intoxication ou d'ébriété, on se soucie peu d'utiliser un moyen de prévention et de protection. En conséquence, plus les 12-18 ans consomment, plus ils adoptent des comportements sexuels à risque. Il faut donc sensibiliser les jeunes à ces situations où la perte de contrôle est possible, et les encourager à adopter des comportements sécuritaires et responsables dans leur vie sexuelle.

De plus, certains éléments liés à la consommation d'alcool et de drogues peuvent influencer la dynamique de la relation sexuelle. Le fait d'avoir des relations sexuelles sous l'effet de l'alcool ou des drogues peut être perçu comme plus agréable pour certains. Par contre, pour d'autres, l'utilisation de ces substances peut avoir pour conséquence de diminuer leur libido et leur capacité sexuelle. Un autre élément vient aussi influencer la dynamique des relations sexuelles chez les consommateurs abusifs, soit la prostitution : en effet, certains individus se prostituent afin de pouvoir se procurer de la drogue. De plus, les effets psychologiques (désillusions, paranoïa, état psychotique, etc.) ne sont pas négligeables.

Il est important d'être le plus impartial possible. Il faut éviter d'adopter une approche basée uniquement sur la « tolérance zéro » concernant l'usage des drogues et de l'alcool. La propagande antialcool et antidrogues n'est ni réaliste ni efficace et peut même inciter certains individus à consommer davantage. Les jeunes, en général, ne se sentent pas concernés lorsqu'on prend un ton protecteur ou moralisateur.

Il faut constamment se rappeler que l'effet d'une drogue sur la sexualité est différent d'une personne à l'autre et dépend toujours de l'interrelation de plusieurs facteurs : le produit consommé (type de la substance, quantité consommée, etc.), l'individu qui le consomme (personnalité, état de santé physique et psychologique, etc.) et l'environnement dans lequel l'individu se trouve (lieu, entourage, coût de la substance, moyens utilisés pour s'en procurer, etc.).

Cela implique qu'il est nécessaire pour l'animateur de nuancer ses propos et d'éviter d'être catégorique lorsqu'il parle des effets liés à la consommation d'alcool et de drogues. Il y aura toujours quelqu'un pour dire qu'il connaît une personne qui prend de l'alcool ou de la drogue depuis longtemps et qui n'a jamais eu de problèmes. L'animateur aborde les risques possibles. De plus, une communication empreinte de respect entre les jeunes et les adultes, la transmission d'une information juste et modérée et un discours non moralisateur sont des éléments qui favorisent une saine réflexion.

Source : Durocher, L. et Fortier, M. (1999)

Objectifs particuliers

Ce thème vise à sensibiliser les participants à l'importance de prévenir les conséquences néfastes de la consommation abusive d'alcool et de drogues sur le plaisir et la santé sexuelle. Ils seront amenés à :

- Découvrir les conséquences de la consommation d'alcool et de drogues sur la santé sexuelle ;
- Reconnaître les valeurs à considérer concernant la décision de prendre ou non de l'alcool ou des drogues ;
- Discuter avec leurs pairs des motifs que peuvent avoir les jeunes à consommer de l'alcool ou des drogues ;
- Réfléchir afin de défaire certains mythes concernant l'effet magique de l'alcool et des drogues sur la sexualité ;
- Adopter une attitude et des comportements sécuritaires dans leur recherche d'expériences sexuelles valorisantes ;
- Reconnaître les effets de l'utilisation d'alcool et des drogues sur les individus ;
- Découvrir les effets de la consommation sur le déroulement d'une relation sexuelle.

Source : Durocher, L. et Fortier, M. (1999)

Document 9.2	Activités d'animation

Introduction au thème

Pour amorcer la discussion sur l'alcool et les drogues en lien avec la sexualité, nous vous proposons d'abord une activité de remue-méninges sur les raisons de consommer.

Poser aux participants la question suivante en leur demandant de répondre spontanément et de donner tout de suite les idées qui leur viennent à l'esprit:

Pourquoi consomme-t-on de l'alcool ou des drogues ?

Faire ressortir les motifs de consommation suivants (compléter s'il y a lieu):

- Recherche du plaisir;
- Acceptation par les pairs;
- Excitation devant l'interdit, recherche de sensations fortes;
- Construction de l'identité, rite de passage;
- Diminution de l'angoisse, de la douleur, de la tristesse;
- Ennui, colère, joie, timidité;
- Réaction de contestation;
- Modèles parentaux;
- Expérience personnelle;
- Détente, relaxation;
- Fête;
- Maintien de l'état d'éveil;
- Être bien dans sa peau;
- Résolution de problème;
- Pour oublier;
- Pour dormir;
- Pour faciliter les relations sexuelles;
- Affirmation de soi;
- Dépendance;
- Stimulation de l'intellect et de la créativité;
- Etc.

Par la suite, poser les questions suivantes afin de clarifier les objectifs du thème avec les jeunes.

1. Quel est le rapport entre l'alcool, la drogue et la sexualité ?
2. Pourquoi parle-t-on d'alcool et de drogues dans un programme d'éducation sexuelle ?

Source: Durocher, L. et Fortier, M. (1999)

Document 9.3	Concours du meilleur scénario

Objectifs

1. Trouver des moyens pour favoriser l'adoption de comportements sécuritaires et responsables dans la recherche du plaisir sexuel.
2. Savoir reconnaître sa limite personnelle de consommation d'alcool ou de drogues afin de maintenir une conduite sexuelle valorisante.

Description

À partir de certains critères, les équipes sont amenées à concevoir le scénario d'une rencontre sexuelle « excitante ».

Matériel

- Feuilles et crayons ;
- Revues, photos, etc. ;
- Matériel de dessin ou de bricolage s'il y a lieu (cartons, crayons, colle, ciseaux, etc.) ;
- Tout autre matériel pertinent.

Rôle de l'animateur

- Inciter les participants à être créatifs ;
- Favoriser un échange constructif entre les participants en leur spécifiant de respecter l'opinion d'autrui ;
- Voir à ce que les participants observent les critères du concours ;
- Assurer le bon déroulement des présentations.

Déroulement

1. Expliquer au groupe la nature et le déroulement de l'activité.
2. Demander aux participants de réfléchir et de noter spontanément toutes les idées qui leur viennent à l'esprit au sujet d'une relation amoureuse et sexuelle saine et valorisante.
3. Demander aux participants de se regrouper par équipe de deux ou trois personnes pour participer à un concours et les inviter à partager entre eux les idées qu'ils auront écrites.

4. Demander à chaque équipe d'inventer un scénario dans lequel se vit une relation sexuelle « excitante », originale, valorisante, respectueuse et sécuritaire (*voir la page 178*). S'assurer que chaque équipe tient compte de son profil sensoriel (*voir le document 5.4*).

5. Demander à chacune des équipes de présenter son scénario. Cette présentation peut prendre diverses formes : dessin ou collage, jeu de rôles ou tout simplement lecture du scénario.

6. Pour conclure l'activité, amener les participants à discuter du fait que l'on peut vivre une relation sexuelle positive sans consommer ou en consommant peu, tout en préservant sa santé.

Questions de discussion autour des scénarios

- Est-ce que ce scénario représente une situation réaliste ?
- Qu'est-ce qui fait qu'on peut avoir du plaisir ?
- Dans le scénario gagnant, comment peuvent se sentir les partenaires et pourquoi ?

Source : Durocher, L. et Fortier, M. (1999)

Concours

Scénario pour une rencontre sexuelle et amoureuse excitante.

Critères de sélection

1. Originalité
2. Respect et valorisation
3. Prévention des MTS et du sida
4. Plaisir

Cet exercice est avant tout un travail de réflexion. Il est susceptible de t'aider à mieux te connaître et peut t'aider à maintenir tes décisions dans diverses situations.

1. Nom de l'équipe

____

2. Imagine une situation...

____

____

3. Quelles sont les circonstances ? (fête, soirée romantique, vacances, etc.)

____

____

4. Où as-tu une relation amoureuse et/ou sexuelle ? (décrire les lieux)

____

____

5. Comment cela se déroule avant, pendant et après ?

____

____

6. Quelles sont tes sources de plaisir ?

____

____

7. Préparez une courte présentation pour expliquer votre scénario. Cette présentation peut être : un poème, un jeu de rôles, une affiche, un dessin ou tout simplement la lecture de cette feuille.

Bonne Chance !

Source : Durocher, L. et Fortier, M. (1999)

Document 9.4	Les conséquences de la consommation sur ma santé sexuelle

Regarde ce tableau et coche (√) les énoncés qui te concernent. Cela t'amènera à effectuer un temps d'arrêt pour réfléchir aux raisons qui poussent à consommer et aux conséquences que ces comportements peuvent avoir sur la santé sexuelle.

Effets des drogues et de l'alcool

La consommation d'alcool ou de drogue...

- ☐ Peut diminuer la gêne ;
- ☐ Enlève nos tabous ;
- ☐ Peut intensifier notre pensée magique (ça n'arrive qu'aux autres !) ;
- ☐ Peut perturber la coordination de nos mouvements, notre motricité ;
- ☐ Peut créer une dépendance physique ou psychologique ;
- ☐ Peut créer un besoin incessant d'argent ;

- ☐ Autres : ______________________________

____

Conséquences sur ma conduite sexuelle

La consommation d'alcool ou de drogue...

- ☐ Peut aider à faire les premiers pas ;
- ☐ Peut augmenter les comportements sexuels à risque tels que l'oubli du condom ;
- ☐ Peut rendre plus difficile l'utilisation adéquate du condom ;
- ☐ Augmente la possibilité de recourir à la prostitution ;
- ☐ Peut devenir plus sujet aux échanges de seringues et d'aiguilles ;

- ☐ Autres : ______________________________

____

Conséquences sur ma santé sexuelle

- ☐ Danger de contracter une ou des MTS, dont le sida ;
- ☐ Danger d'une grossesse non désirée ;
- ☐ Problèmes sexuels physiologiques et psychologiques (perte de désir, Problèmes d'érection, etc.) ;

- ☐ Autres : ______________________________

____

Source : Durocher, L. et Fortier, M. (1999)

Atelier 10 (90 min)

Les abus sexuels et les comportements inappropriés

Objectif général

Ce thème vise à sensibiliser les participants aux différentes formes d'abus sexuels auxquelles ils peuvent être exposés, que ce soit à l'intérieur ou à l'extérieur de la famille ou dans les relations amoureuses. L'objectif est de les amener à élaborer des moyens pour se protéger et protéger les autres si une situation d'abus se présente (document 10.1).

1. Amorcer la discussion sur l'intimité et ses frontières. Pour ce faire, utiliser le document 10.2 (25 min).

   Suivre le déroulement en amenant différents exemples. Souligner l'importance de l'intimité en expliquant la différence entre les comportements qui s'exécutent en privé et ceux qui s'exécutent en public.

2. Discussion : *Qu'est-ce qu'une agression sexuelle ?*

   En groupe, lire la feuille « Stop à l'agression sexuelle » et discuter des idées qui y sont présentées (document 10.3, 20 min).

3. Activité : *La sexualité et la loi, à toi d'en juger !*

   Demander aux participants de juger les situations et revenir en grand groupe pour discuter des réponses (document 10.4, 30 min).

Activité complémentaire

4. – Film en anglais *Now ! How* (15 min), distribué par Diverse City Press, à l'adresse www.diverse-city.com.

   – Film en français *Attention, ça peut arriver à tout le monde,* programme de formation et de sensibilisation à l'intention des adultes ayant une déficience intellectuelle et de leur entourage (15 min). Choisir parmi les 10 vignettes présentées. Réalisation : Richard Martin. CECOM de l'Hôpital Rivière-des-Prairies, (514) 328-3503, www.CECOM.qc.ca.

Source : Durocher, L. et Fortier, M. (1999)

Document 10.1	Informations pour l'animateur

Ces activités peuvent parfois provoquer certaines réactions émotives chez les participants telles que la colère, la tristesse, la gêne ou donner lieu à de longs silences. Il est souhaitable qu'ils s'expriment librement. Toutefois, l'animateur doit porter une attention particulière au respect de soi et des autres en évitant les jugements. L'animateur peut également vivre des moments chargés d'émotions, mais ils ne devraient pas entraver la tâche d'animation.

Les discussions sur cette problématique peuvent parfois mener au dévoilement. L'animateur doit être prêt à recevoir les confidences d'un participant et s'assurer qu'il accorde à ce dernier toute l'attention requise. Il est souhaitable que l'animateur mentionne, à différentes reprises, l'importance de pouvoir s'en remettre à une personne de confiance, et ce, afin d'éviter le piège secret d'un abus sexuel. Différentes ressources doivent être ciblées afin de pouvoir guider vers elles un participant le cas échéant (professionnel, centre de services, hôpital, etc.).

Il est important d'insister sur le fait que les personnes qui ont vécu une forme d'abus sexuel peuvent recevoir toute l'aide nécessaire. De plus, un accompagnement peut être proposé aux membres de leur famille. Il existe aussi des services et des programmes offerts à différents centres. Il revient à l'animateur de s'informer auprès de ses collègues sur l'existence de tels services et de le faire avant la tenue des activités. Enfin, il est essentiel de retenir, tout au long de l'animation de ce thème, que les participants ont besoin d'entendre qu'il est possible de cheminer à la suite de telles expériences. Parallèlement, il faut éviter de véhiculer le message qu'un individu ayant connu une forme d'abus sexuel devient automatiquement un agresseur. Certains participants pourraient croire qu'ils sont inévitablement destinés à répéter des actes d'abus.

Source : Durocher, L. et Fortier, M. (1999)

Objectifs particuliers

Ce thème vise à sensibiliser les participants aux différentes formes d'abus sexuels auxquelles ils peuvent être exposés, que ce soit à l'intérieur ou à l'extérieur de la famille ou dans les relations amoureuses. Il vise aussi à favoriser l'expression des participants à l'égard des situations d'abus et à les aider à élaborer des moyens pour se protéger et protéger les autres. Les participants seront amenés à :

- Repérer les différentes formes d'abus sexuels vécus par les filles et les garçons dans notre société ;

- Déterminer les frontières de leur intimité et à clarifier la notion de consentement;
- Réfléchir aux différentes formes d'abus sexuels pouvant être vécus dans un contexte de fréquentation.

De plus, l'animateur veillera à:

- Sensibiliser les participants à l'importance de se confier lorsqu'on est victime d'un abus sexuel et à les informer sur les ressources et les lois qui peuvent les aider;
- Informer les participants relativement aux ressources et à l'aide que peuvent recevoir les personnes ayant commis des abus sexuels.

Source: Durocher, L. et Fortier, M. (1999)

Document 10.2	Mon intimité et ses frontières

Déroulement

1. Présenter les objectifs de l'activité et demander aux participants de décrire brièvement ce que représente pour eux l'intimité.
2. Inviter les participants à nommer des activités faites dans l'intimité et en public. Débuter en nommant des exemples où l'intimité personnelle est bafouée dans de simples petits gestes quotidiens. Poursuivre par des exemples allant jusqu'à la violence sexuelle : entrer dans la chambre de l'autre sans frapper ; se promener en sous-vêtements sans se préoccuper du malaise que cela peut provoquer chez les autres ; aller aux toilettes sans fermer la porte ; se moquer d'un couple qui s'embrasse ; toucher une partie intime du corps d'une personne ; forcer l'autre à nous embrasser ; etc.
3. Parallèlement aux exemples de non-respect de l'intimité, diriger la discussion sur l'importance d'établir ses frontières personnelles. Insister sur l'importance d'être clair lorsque l'on donne ou non son consentement. Voici des suggestions de questions :
   - Pourquoi est-ce important d'établir ses frontières avec l'entourage ?
   - Comment peut-on arriver à exprimer clairement ses limites et à dire « non » si c'est ce que l'on souhaite ?
   - Pourquoi est-ce difficile de faire respecter ses limites ?
   - Croyez-vous qu'il est possible d'oublier ou d'omettre de respecter les limites de l'autre ?
   - Est-ce que vous vous rappelez des événements où vous n'avez pas réussi à faire respecter vos limites ? Pourquoi ?
   - Est-ce que l'alcool peut excuser une personne qui a commis des gestes d'abus ?
   - Que signifie « donner son consentement » ? Comment peut-on « exprimer » son consentement à quelqu'un ?
   - De quelle façon est-ce que notre partenaire peut manquer de respect à l'égard de notre intimité ?
   - Quels sont les endroits privés et publics ?
4. Pour clôturer l'activité, faire ressortir les grandes lignes en lien avec le consentement entre deux personnes et inviter les participants à nommer des trucs ou des façons de dire clairement non à quelqu'un dans une situation donnée.

Source : Durocher, L. et Fortier, M. (1999)

Document 10.3	Stop à l'agression sexuelle

Qu'est-ce qu'une agression sexuelle ?

- C'est lorsqu'une personne essaie de t'embrasser, de toucher ou de caresser tes organes sexuels ou qu'elle te force à te laisser faire quand tu ne veux pas. C'est aussi quand elle veut que tu lui fasses ces actes sexuels ou qu'elle t'y force, quand tu ne veux pas. La plupart des gens appellent cela des attouchements sexuels ;
- C'est également lorsqu'une personne te force à avoir une relation sexuelle avec elle ;
- Une personne qui en agresse une autre sexuellement n'emploie pas toujours le même moyen ;
- Quelqu'un peut t'agresser sexuellement en employant la violence physique ou verbale (en te menaçant). Il se peut aussi que cette personne n'emploie aucune violence ;
- Dans d'autres cas, l'agresseur sexuel peut se servir de la confiance que tu as en lui pour te faire ou te faire faire des actes sexuels. Il peut également profiter du fait que tu as beaucoup d'affection pour lui pour faire des actes sexuels à ton endroit, ou pour t'en faire faire. Ou encore, il peut profiter du fait que tu dépends de lui pour te faire participer à des activités sexuelles. On parle alors d'abus sexuels ;
- L'agresseur peut être un étranger, une personne que tu as déjà vue ou quelqu'un que tu connais très bien, même un membre de ta famille. L'agresseur peut également être une femme.

Une agression sexuelle, c'est...

- Lorsque quelqu'un touche une personne à des endroits où elle ne veut pas qu'on la touche (attouchements sexuels) ;
- Lorsque quelqu'un oblige une autre personne à toucher ou à caresser ses parties sexuelles (attouchements sexuels) ;
- Lorsque quelqu'un a une relation sexuelle avec un membre de sa famille, incluant parents, demi-frère, demi-sœur, grands-parents, petits-enfants, etc. : c'est de l'inceste ;
- Lorsque quelqu'un force une autre personne à faire des gestes sexuels devant d'autres personnes ;
- Lorsque quelqu'un force une personne à participer à des activités sexuelles avec des animaux ;
- Que l'agresseur sexuel emploie la violence ou non, qu'il soit un étranger ou un membre de ton entourage, il commet un crime.

Adapté de : Droits d'ados... Stop à l'agression sexuelle, ministère de la Justice du Canada. Sécurité publique du Québec, ministère de la Justice du Québec. Source : Durocher, L. et Fortier, M. (1999)

Document 10.4	La sexualité et la loi : à toi d'en juger !

Situation

1. Julien et Sophie sont séparés depuis trois semaines. Julien accepte très mal cette situation. Il fait constamment des appels anonymes à Sophie. Il surveille sans cesse toutes ses allées et venues.

   ☐ Acceptable ☐ Tolérable ☐ Inacceptable

2. Marc-André exige d'avoir des relations sexuelles avec sa copine, même si elle ne le souhaite pas, sous prétexte qu'il est son copain depuis un certain temps.

   ☐ Acceptable ☐ Tolérable ☐ Inacceptable

3. Marie-Claude a 13 ans et son père lui demande occasionnellement d'avoir des activités sexuelles avec lui. Son père n'est pas violent avec elle, il lui donne même tout ce qu'elle veut.

   ☐ Acceptable ☐ Tolérable ☐ Inacceptable

4. Fréquemment, dans le métro, un homme se procure du plaisir sexuel en exhibant son pénis devant les autres usagers.

   ☐ Acceptable ☐ Tolérable ☐ Inacceptable

5. Justine a 12 ans et elle a des relations sexuelles avec sa copine âgée de 17 ans.

   ☐ Acceptable ☐ Tolérable ☐ Inacceptable

6. Sylvie travaille dans un restaurant. Michel, le gérant de l'endroit, la trouve jolie. Il menace de la congédier si elle refuse d'avoir des relations sexuelles avec lui.

   ☐ Acceptable ☐ Tolérable ☐ Inacceptable

7. Patrick reçoit régulièrement des appels téléphoniques d'une personne qui lui tient des propos sexuels.

   ☐ Acceptable ☐ Tolérable ☐ Inacceptable

8. Laurent a 16 ans, il est animateur dans un camp de vacances pour le groupe des 12 à 14 ans. En tant qu'animateur, Laurent est en situation d'autorité et de confiance par rapport aux jeunes de son groupe. À quelques reprises, Laurent a incité Noémie, une fille de 14 ans, à l'embrasser et à lui toucher les parties génitales.

   ☐ Acceptable ☐ Tolérable ☐ Inacceptable

Source : Durocher, L. et Fortier, M. (1999)

Atelier 11 (90 min)

Sexisme et violence dans les relations amoureuses

Objectif général

Ce thème vise à sensibiliser les participants aux comportements sexistes, aux comportements abusifs et aux conséquences qui découlent de ces conduites.

1. Entamer la discussion sur les différentes formes d'interactions sociales : l'intimité sexuelle, les relations familiales et sociales (document 11.1, 30 min).
2. *Vague par Vague* est un programme de sensibilisation aux abus sexuels dans les relations amoureuses (document 11.2, 40 min). En version anglaise, *Making Waves.*
3. Film *Les Machos,* de la série *Silence, on s'ex...prime!* (20 min). Ce film peut être remplacé par un autre sur la violence dans les relations amoureuses.

Activité complémentaire

4. Questionnaire sur l'abus dans ma propre relation amoureuse. Les participants qui sont présentement en relation peuvent remplir le questionnaire (document 11.3, 5 à 10 min).

Document 11.1	Les cercles sociaux

Sur une grande feuille ou un tableau, dessiner trois cercles, imbriqués les uns dans les autres. Le plus petit cercle est vert, le cercle de taille moyenne est jaune et le plus grand est rouge. Ces couleurs correspondent aux couleurs des feux de circulation.

- Le cercle vert est le cercle de l'intimité : il signifie avance, O.K., c'est bien, etc.
- Le cercle jaune correspond à la relation familiale : il signifie de ralentir, de faire attention, etc.
- Le cercle rouge représente les relations sociales : il signifie arrêt, non, interdit, etc.

Chaque cercle regroupe des individus et des comportements. Dans un premier temps, il s'agit de fabriquer des petits cartons et d'y inscrire les noms des participants, des personnes de leur famille et de leur entourage, de même que des comportements ciblés et des lieux privés et publics. L'exercice consiste alors à demander aux participants de placer les cartons correspondant dans les cercles désignés. Dans un deuxième temps, l'animateur place les cartons sur différents cercles et il demande aux participants si cela est approprié ou inapproprié. Les suggestions doivent être adaptées à l'âge, à la culture et aux habitudes de vie des participants. Voici quelques exemples d'individus et de comportements à inscrire sur les cartons.

Par exemple, dans le cercle de l'intimité (cercle vert), on trouve le participant et, le cas échéant, son partenaire. Les comportements appropriés sont les suivants : donner un baiser sur la bouche, avoir un contact intime ou sexuel, parler de nos émotions, dormir ensemble, se dévêtir, respecter l'intimité de l'autre, etc.

Dans le cercle familial (cercle jaune), on retrouve les membres de la famille et quelques amis avec qui le participant entretient une relation privilégiée. Les comportements adaptés sont : donner un baiser sur la joue, faire une accolade, serrer la main, discuter de ses émotions, etc. Les comportements inappropriés sont : donner un baiser sur la bouche, avoir un comportement sexuel, être nu devant une de ces personnes, etc.

Le cercle des relations sociales (cercle rouge) inclut les gens que l'on côtoie régulièrement (professeur, élèves, éducateur, thérapeute, chauffeur d'autobus, etc.) et les gens qui nous entourent (incluant les inconnus). Les comportements appropriés sont : sourire, dire bonjour, serrer la main, ne pas donner d'information personnelle, garder une distance appropriée, etc. Les comportements inappropriés sont : donner son numéro de téléphone, se dénuder en public, toucher une partie intime du corps de l'autre, avoir un contact sexuel avec un inconnu, etc.

Voici un exemple de l'exercice :

1. Mets de la couleur dans chaque cercle : vert (intimité), jaune (famille), rouge (social).
2. Écris le nom des personnes qui correspondent à chaque cercle, ainsi que les bons comportements, ou place les cartons appropriés à chaque cercle.

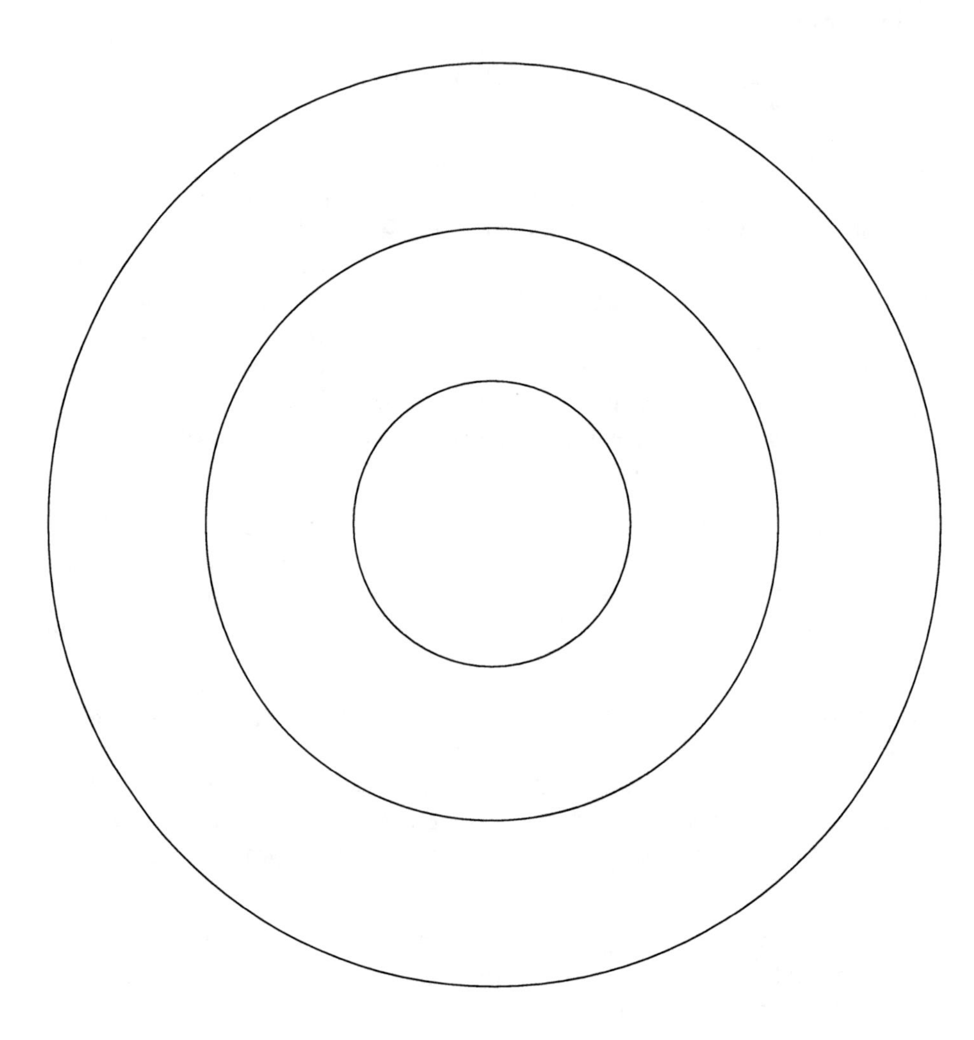

Adapté de Walker-Hirsh et Champagne (1986)

Document 11.2	Le programme *Vague par Vague*

Le programme *Vague par Vague* est disponible gratuitement à l'adresse www.mwaves.org (voir section en français). Il est possible de télécharger les activités de la section « À propos des relations ». L'animateur peut également accéder à un document d'accompagnement intitulé « Guide de l'enseignant ». Les activités proposées ciblent la violence dans les relations amoureuses. Les exercices consistent à discuter de la violence, à compléter des phrases, à comprendre le cycle de la violence.

Voici quelques-uns des thèmes du programme *Vague par Vague:*

- Les notions de contexte et d'espace, ce qui est privé et ce qui est public;
- Les limites de l'amour (les situations respectueuses, celles qui sont malsaines et celles qui sont abusives);
- La violence dans une relation amoureuse;
- Apprendre à réagir face à une situation d'abus sexuel;
- La sexualité et la loi: juger différentes situations et explorer ce qui est acceptable et ce qui est inacceptable;
- Les avertissements (les signes à détecter lorsqu'une personne agit de façon excessivement jalouse, explosive, déprimée, agitée ou étrange). Apprendre à prévenir l'abus sexuel;
- Apprendre à s'aider soi-même ou à aider un ami à reconnaître l'agressivité.

L'animateur sélectionne les activités pertinentes pour le groupe.

Document 11.3	Moi ? Une personne abusée dans sa relation amoureuse ?

Une relation amoureuse peut prendre beaucoup de place dans une vie. Parfois, sans même nous en rendre compte, nous oublions nos besoins afin de satisfaire notre partenaire. Quelle est l'influence de notre partenaire sur nous ? Te sens-tu abusé ou abusée dans ta relation ? Réponds à ce questionnaire et regarde l'analyse des résultats.

A Jamais
B Occasionnellement
C Souvent

1. Ma ou mon partenaire dit des choses dévalorisantes à mon égard.

□ A □ B □ C

2. Ma ou mon partenaire désapprouve que je passe du temps de mon côté avec mes amis.

□ A □ B □ C

3. Lors de nos contacts sexuels, ma ou mon partenaire insiste pour que j'exécute des comportements que je n'aime pas.

□ A □ B □ C

4. Pour prouver mon amour, je me force à avoir des relations sexuelles.

□ A □ B □ C

5. Ma ou mon partenaire décide toujours du moment où nous avons des rapports sexuels.

□ A □ B □ C

6. Ma ou mon partenaire prend le temps de m'écouter quand je veux lui parler de notre relation.

□ A □ B □ C

7. Lorsque ma ou mon partenaire abuse de l'alcool ou de la drogue, je trouve que ça démontre un manque de respect à mon égard.

□ A □ B □ C

8. En présence d'amis, ma ou mon partenaire tient des propos sexuels blessants ou gênants à mon égard.

□ A □ B □ C

9. Nos relations sexuelles m'apportent plus de craintes que de plaisir.

☐ A ☐ B ☐ C

10. Ma ou mon partenaire pense que lorsque je lui dis NON, cela veut dire OUI.

☐ A ☐ B ☐ C

Calcul des points

Résultats

1 point chaque fois que tu as choisi A
2 points chaque fois que tu as choisi B
3 points chaque fois que tu as choisi C

Pointage final : __________

De 0 à 14 points

Ta relation ne semble pas démontrer d'abus dans le couple. Demeure à l'écoute de ce que tu ressens et n'hésite jamais à dire NON à quelque chose dont tu n'as pas envie.

De 15 à 23 points

La relation avec ta ou ton partenaire présente certaines formes d'abus. Ne laisse aucune place aux abus dans ta vie. Fais-toi confiance, exprime-toi quand tu te sens abusé ou abusée. Quand tu n'as pas envie de quelque chose, dis NON. Si tu te sens mal à l'aise avec une situation, demande de l'aide à quelqu'un en qui tu as confiance. L'important, c'est d'être à l'écoute de ce que tu ressens.

De 24 points et plus

Une relation dans laquelle on trouve une forme d'abus n'est ni saine ni acceptable. Personne ne doit tolérer ce genre de situation dans sa vie. Tu as peut-être besoin d'aide pour t'y retrouver. N'hésite pas à en parler à quelqu'un en qui tu as confiance, car cette personne pourrait t'aider. Chaque personne a le droit de s'épanouir dans sa relation.

Source : Durocher, L. et Fortier, M. (1999)

Théorie de la pensée, communication et intimité

Objectifs généraux

Apprendre aux participants à décoder les émotions en cause dans les relations interpersonnelles, à développer la théorie de la pensée et à améliorer leurs habiletés de communication.

1. Expliquer ce qu'est la « théorie de la pensée ». Mettre l'accent sur l'importance de décoder les émotions et les intentions de l'autre dans les contextes sociaux (10 min).
2. Effectuer une série d'exercices pour les jeunes tirés du livre *Teaching Children with Autism to Mind-Read* de Howlin, Baron-Cohen et Hadwin (1999) ou utiliser le logiciel pour les jeunes et les adultes *Mind-Reading* (Baron-Cohen et collab., 2002). (15 min)
3. Mettre en scène des jeux de rôles (histoires sociales et sexuelles adaptées des *Social Stories* de Gray (1995) ou utiliser les vignettes adaptées de la SexoTrousse (Lemay, 1996). (Document 12.1, 60 min.)
4. Vérifier les acquis des participants à l'aide du questionnaire de connaissances n° 2 pour adolescents (document 12.2). Les adultes peuvent remplir à nouveau le questionnaire tiré du DSFI (Derogatis et Melisaratos, 1982) disponible à l'adresse www.derogatis-tests.com.

Document 12.1	Vignettes pour les jeux de rôles

Je te trouve attirante (attirant).	Je suis inquiet (inquiète), car je crois que cette personne a de mauvaises intentions.
J'invite quelqu'un au cinéma.	J'ai du plaisir lorsque je participe à une sortie intime.
Je me présente à quelqu'un.	Mon cœur bat très fort, car je viens d'embrasser ma copine (mon copain).
Tu me fais beaucoup d'effet.	Je tremble lorsqu'un inconnu me tient des propos inappropriés.
Je suis nerveux (nerveuse), car je ne suis pas à l'aise dans cette situation.	Je me sens à l'aise, car je te connais bien.
Je suis inquiet (inquiète), car je ne connais pas assez cette personne.	Je suis fier (fière) de moi, car j'ai entamé une conversation.
Ma copine (mon copain) m'a fait de la peine.	Je me sens bien, car ma copine (mon copain) m'a fait une accolade.
Je me sens bien quand nous sommes ensemble.	Je cours lorsque je me sens en danger.
J'ai l'esprit en paix, car j'utilise un contraceptif.	Je n'accepte aucun reproche, je m'emporte facilement.
Cela me déçoit que ma copine (mon copain) refuse d'utiliser un contraceptif.	Je suis agressif (agressive), car je me sens isolé (isolée).

Adapté de Lemay, M. (1996). La SexoTrousse, Maniwaki, production Pavillon du Parc.

Document 12.2	Questionnaire de connaissances nº 2 pour les adolescents

Nom: ______________________ Date: ______________

Testez vos connaissances!

1. L'amour entre deux personnes se développe uniquement après avoir vécu des relations sexuelles.

☐ Vrai ☐ Faux

2. Le fœtus (le futur bébé) est conçu par la rencontre entre __________ et un spermatozoïde.

a) Utérus b) Pénis c) Ovule d) Vagin

3. Pour qu'il y ait une relation sexuelle entre deux personnes, il doit obligatoirement y avoir pénétration du pénis dans le vagin.

☐ Vrai ☐ Faux

4. Utilisé correctement, le préservatif (condom) est un moyen de contraception très efficace.

☐ Vrai ☐ Faux

5. Dans un couple homosexuel, il y a toujours un partenaire qui a le rôle du « garçon » et l'autre a le rôle de la « fille ».

☐ Vrai ☐ Faux

6. La consommation d'alcool rend la relation sexuelle plus agréable car les organes génitaux deviennent plus sensibles.

☐ Vrai ☐ Faux

7. Le rôle de la femme devrait être de s'occuper de la maison et d'éduquer les enfants du couple.

☐ Vrai ☐ Faux

8. La beauté physique est le principal ingrédient de la réussite des relations amoureuses.

☐ Vrai ☐ Faux

9. Le consentement entre deux partenaires prévient le harcèlement et l'abus sexuel.

☐ Vrai ☐ Faux

10. Lorsque j'ai une idée en tête (ou lorsque je vis une émotion), les autres y pensent aussi.

☐ Vrai ☐ Faux

Source: Durocher, L. et Fortier, M. (1999).

Corrigé

Document 1.4 : Questionnaire de connaissances n° 1 pour les adolescents

1. b
2. c
3. a
4. Vrai
5. Vrai
6. Faux
7. Faux
8. Faux
9. Faux
10. Vrai

Document 7.2 : Jeu-questionnaire sur la prévention et la contraception

1. Vrai
2. Vrai
3. Vrai
4. Vrai
5. Vrai
6. Vrai
7. Vrai
8. Vrai
9. Vrai
10. Vrai

Document 12.2 : Questionnaire de connaissances n° 2 pour les adolescents

1. Faux
2. c
3. Faux
4. Vrai
5. Faux
6. Faux
7. Faux
8. Faux
9. Vrai
10. Faux

Bibliographie

ABELSON, A.G. (1981). « The development of gender identity in the autistic child », *Child: Care Health and Development,* vol. 7, p. 343-356.

ADOLPH, R., L. SEARS et J. PIVEN (2001). « Abnormal processing of social information from faces in autism », *Journal of Cognitive Neuroscience,* vol. 13, n° 2, p. 232-240.

ALARIE, P. et R. VILLENEUVE (1992). *L'impuissance : évaluations et solutions*, Montréal, Éditions de l'Homme.

AMAN, M.G. et collab. (1987). « The Aberrant Behavior Checklist : Factor structure and the effect of subject variables in American and New Zealand facilities », *American Journal of Mental Deficiency,* vol. 91, p. 570-578.

AMAN, M.G. et N.N. SINGH (1986). *Aberrant Behavior Checklist : Manual*, East Aurora (NY), Slosson Educational Publications.

AMERICAN ACADEMY OF PEDIATRICS (1996). « Sexuality education of children and adolescents with developmental disabilities », *Pediatrics,* vol. 97, p. 275-278, (RE9603).

AMERICAN PSYCHIATRIC ASSOCIATION (APA) (1994). *Diagnostic and Statistical Manual of Mental Disorders (DSM-IV),* 4e éd., Washington (DC), American Psychiatric Association.

AQUILLA, P. (2003). « Sensory issues in individuals with Asperger Syndrome », *The Second National Conference on Asperger's Syndrome*, Toronto, Aspergers Society of Ontario.

ARTURO SILVA, A., J. M. FERRARI et G. LEONG (2002). « The case of Jeffrey Dahmer : Sexual serial homicide from a neuropsychiatric developmental perspective », *Journal of Forensic Science,* vol. 47, n° 6, p. 1347-1359.

ASPERGER, H. (1994). *Les psychopathes autistiques pendant leur enfance*, Le Cannet, EDI Formation. Traduction de *Die "Autistischen Psychopathen" im Kindesalter* (1944).

ASPERWEB FRANCE (2000). « Définition, historique et caractéristiques du syndrome d'Asperger », *www.perso.wanadoo.fr/asperweb/.*

ASTON, M.C. (2003). *Aspergers in Love*, Londres, Jessica Kingsley Publishers.

ASTON, M.C. (2001). *The Other Half of Asperger Syndrome*, Londres, The National Autistic Society.

ATTWOOD, T. (2004a). *Le syndrome d'Asperger et l'autisme de haut niveau,* Paris, Dunod.

ATTWOOD, T. (2004b). *Exploring Feelings: Cognitive Behaviour Therapy to Manage Anger and Anxiety*, Arlington, Future Horizons.

ATTWOOD, T. (2003a). « Cognitive behaviour therapy », dans *Asperger Syndrome in Adolescence*, sous la direction de Holliday Willey, L. Londres, Jessica Kingsley Publishers.

ATTWOOD, T. (2003b). Lecture at the Third FAAAS International Conference, *www.faaas.org.*

ATTWOOD, T. (2003c). « Indices of Friendship Observation Schedule », *www.tonyattwood.com.au.*

ATTWOOD, T. (2000). « Strategies for improving the social integration of children with Asperger Syndrome », *Autism,* vol. 4, p. 85-104.

ATTWOOD, T. (1999a). « Understanding and helping adolescents with Asperger's Syndrome », Conférence pour la Société québécoise de l'autisme, Montréal.

ATTWOOD, T. (1999b). « Cognitive behaviour therapy to accommodate the cognitive profile of people with Asperger's Syndrome », *www.tonyattwood.com.au.*

ATTWOOD, T. (1998a). *Asperger's Syndrome: A Guide for Parents and Professionals*, Londres, Jessica Kingsley Publishers.

ATTWOOD, T. (janvier 1998b). « The links between social stories, comic strip conversations and the cognitive models of autism and Asperger's Syndrome », *The Morning News*, p. 3-6.

ATTWOOD, T. et C. GRAY (1999a). « Understanding and teaching friendship skills », *www.tonyattwood.com.au.*

ATTWOOD, T. et C. GRAY (1999b). « The discovery of 'Aspie' criteria », *www.tonyattwood.com.au.*

BARBACH, L. (1997). *Loving Together: Sexual Enrichment Program*, New York, Brunner/Mazel.

BARON-COHEN, S. et collab. (2004). *Mind-Reading: The Interactive Guide to Emotions*, Cambridge, Human Emotions.

BARON-COHEN, S. et collab. (2001). « The Autism-Spectrum Quotient (AQ) : Evidence from Asperger Syndrome/High functioning autism, males and females, scientists and mathematicians », *Journal of Autism and Developmental Disorders,* vol. 31, n° 1, p. 517.

BASSO, M.J. (1997). *The Underground Guide to Teenage Sexuality,* Minneapolis (MN), Fairview Press.

BEAUDOIN, L. et collab. (1980). *Ça ne peut plus durer,* Montréal, Clinique des jeunes St-Denis, Bureau de Consultation Jeunesse inc.

BERNIER, S. et M. LAMY (1998). *Programme d'entraînement aux habiletés sociales adapté pour une clientèle présentant un trouble envahissant du développement,* Hôpital Rivière-des-Prairies, Clinique des troubles envahissants du développement.

BINET, A. (1887). « Le fétichisme dans l'amour », *Revue Philosophique,* vol. 24, p. 143-167 ; 252-274.

BOISVERT, J.-M. et M. BEAUDRY (1985). *Principes de la communication,* Montréal, Hôpital Louis-H. Lafontaine.

BOISVERT, J.-M. et M. BEAUDRY (1979). *S'affirmer et communiquer,* Montréal, Éditions de l'Homme.

BOUCHARD, P., Y. KELLER et N. SAINT-JEAN, (1988). *Dans les coulisses et l'intimité sexuelle,* Fondation Jeunesse.

BRADLEY, S.J. et K.J. ZUCKER (1997). « Gender identity disorder : A review of the past 10 years », *Journal of the American Academy of Child and Adolescent Psychiatry,* vol. 36, p. 872-880.

BRENT, E. et collab. (2004). « Performance of children with Autism Spectrum Disorder on advance Theory of Mind tasks », *Autism,* n° 8, p. 283-299.

CALGARY BIRTH CONTROL ASSOCIATION (2002). *Counselling and Education, www.cbca.ab.ca.*

CANADA. SANTÉ CANADA et GlaxoSmithKline Inc. (2003). *Le PAXIL® ne doit pas être employé chez les enfants et les adolescents de moins de 18 ans,* réf. du 19 juin 2005, www.hc-sc.gc.ca.

CANADIAN PHARMACEUTICAL ASSOCIATION (1994). *www.autisme.qc.ca.*

CARNES, P. (1993). *S'affranchir du secret : Sexualité compulsive.* Minnesota, CompCare Publishers.

CARNES, P. (1989). *Contrary to Love : Helping the Sexual Addict.* Minnesota, CompCare Publishers.

CHANNON, S. et collab. (2001). « Real-life problem-solving in Asperger's Syndrome », *Journal of Autism and Developmental Disorders,* vol. 31, p. 461-469.

CHIPOURAS, S. et collab. (1982). *Who Cares? A Handbook on Sex Education and Counselling Services for Disabled People.* Baltimore (MD), University Park Press.

CIESLAK, D.J. (2003). Internet Feat List (*schafer@sprynet.com*). Sacramento (CA), KCRA News.

COHEN, J. (1999). *The Penis Book.* New York, Fresh Ideas Daily.

COHEN-KETTENIS, P.T. (février 2003). « Demographic characteristics, social competence, and behavior problems in children with gender identity disorders : A cross-national, cross-clinic comparative analysis », *Journal of Abnormal Child Psychology,* vol. 1.

COLEMAN, E. (1991). « Compulsive sexual behavior : New concepts and treatments », *Journal of Psychology and Human Sexuality,* vol. 4, p. 37-52.

COOPER, S.A., W.N. MOHAMED et R.A. COLLACOTT (1993). « Possible Asperger's syndrome in a mentally handicapped transvestite offender », *Journal of Intellectual Disability Research,* vol. 37, p. 189-194.

CURNOE, S. et R. LANGEVIN (2002). « Personality and deviant sexual fantasies : An examination of the MMPIs of sex offenders », *Journal of Clinical Psychology,* vol. 58, p. 803-815.

DEBBAUDT, D. (2002). *Avoiding Unfortunate Situations : A Collection of Experiences, Tips and Information from and about People with Autism and Other Developmental Disabilities and their Encounters with Law Enforcement Agencies,* Détroit (MI), Wayne County Society for Autistic Citizens.

DEBBAUDT, D. (2001). *Autism, Advocates, and Law Enforcement Professionals : Recognizing and Reducing Risk Situations for People with Autism Spectrum Disorders,* Londres, Jessica Kingsley Publishers.

DEMYER, M.K. (1979). *Parents and Children in Autism,* Londres, John Wiley.

DEROGATIS, L.R. et MELISARATOS (1982). *Inventaire du fonctionnement sexuel,* Baltimore (MD), Clinical Psychometric Research Inc., *www.derogatis-tests.com.*

DESAULNIERS, M.P. et collab. (2001). *Programme d'éducation à la vie affective, amoureuse et sexuelle,* Trois-Rivières, Centre de services en déficience intellectuelle de la Mauricie et du Centre-du-Québec.

DIAZ MORFA, J.R. et collab. (2002). *Le grand livre de la sexualité,* Paris, EDDL.

DODSON, B. (1996). *Sex for One: The Joy of Selfloving,* New York, Three Rivers Press.

DODSON, B. (1974). *Liberating Masturbation,* New York, Three Rivers Press.

DORAIS, M. (1999). *Éloge de la diversité sexuelle,* Montréal, VLB éditeur.

DUBÉ, L. (1994). «Les relations interpersonnelles», dans R.J. Vallerand (dir.) *Les fondements de la psychologie sociale,* Boucherville, Gaëtan Morin éditeur.

DUROCHER, L. et M. FORTIER, (1999). *Programme d'éducation sexuelle,* Les Centres Jeunesse de Montréal - Institut universitaire.

EHLERS, S. et C. GILLBERG (1993). «The epidemiology of Asperger syndrome: A total population study», *Journal of Child Psychology and Psychiatry,* vol. 34, p. 1327-1350.

ERICKSON, E.H. (1963). *Childhood and Society,* 2e éd., New York, Norton.

FAMILY PLANNING QUEENSLAND (2001). *Sexual and Reproductive Health,* Brisbane, Family Planning Queensland, www.fpq.com.au.

FORD, A. (1987). «Sex education for individuals with Autism: Structuring information and opportunities», dans *Handbook of Autism and Pervasive Developmental Disorders,* sous la direction de D.J. Cohen, A.M. Donnellan et R. Paul, Maryland (MD), Winston.

FOREMAN, J. (2003). «A look at empathy, please!», Boston, Globe Newspaper Company.

FORTIN, N. et J. THÉRIAULT (1995). «Intimité et satisfaction sexuelle», *Revue Sexologique,* vol. 3, no 1, p. 37-58.

FRITH, U. (1991). *Autism and Asperger Syndrome,* Cambridge, Cambridge University Press.

GALE, T. (2001). *Gale Encyclopedia of Psychology,* Farmington Hills (MI), Gale Group.

GHAZIUDDIN, M. et L. TSAI (1991). «Brief report: Violence in Asperger syndrome; a critique», *Journal of Autism and Developmental Disorders,* vol. 21, p. 349-354.

GILLBERG, C. et C. GILLBERG (1989). «Asperger's syndrome – some epidemiological considerations: A research note», *Journal of Child Psychology and Psychiatry,* vol. 30, p. 631-638.

GILLBERG, C. (1983). « Éveil de la conscience sexuelle chez l'adolescent autistique », *L'avenir des autistes et psychotiques à travers différentes approches*, Paris, Actes du Congrès de Paris.

GILLIAM, J.E. (2001). *Gilliam Asperger's Disorder Scale*, Kingsland (TX), James E. Gilliam.

GRAHAM, K.A. (août 2003). « Coaching for friendship, eye to eye », *The Philadelphia Inquirer.*

GRAY, C. (2000). *Writing Social Stories*, Arlington (TX), Future Horizons Inc.

GRAY, C. (1994). *Comic Strip Conversations*, Michigan, Jenison Public Schools.

GRAY, S., L. RUBLE et N. DALRYMPLE (1996). *Autism and Sexuality : A Guide for Instruction*, Bloomington (IN), Autism Society of Indiana.

GRIFFITHS, D. et collab. (2002). *Ethical Dilemmas : Sexuality and Developmental Disability*, New York, NADD Press.

GRIFFITHS, D. (2000). « The case of Bruce », exposé présenté dans le cadre de la sixième conférence annuelle sur le double diagnostic. Welland and District Association for Community Living, Niagara Falls (ON) Canada.

GRIFFITHS, D. (1999). *La sexualité des personnes présentant un trouble envahissant du développement*, Conférence, Montréal, Consortium de services pour les personnes ayant des troubles graves du comportement.

GRIFFITHS, D., V.L. QUINSEY et D. HINGSBURGER (1989). *Changing Inappropriate Sexual Behavior*, Baltimore (MD), Paul H. Brookes.

HALI, I. et J. BERNAI (1995). « Asperger's syndrome and violence : Correspondence », *British Journal of Psychiatry*, vol. 166, p. 262.

HALL, K. (2001). *Asperger Syndrome, the Universe and Everything*, Londres, Jessica Kingsley Publishers.

HARACOPOS, D. et L. PEDERSEN (1999). *The Danish Report*, Kettering, Autism Independent UK.

HATFIELD, E. (1984). « The danger of intimacy », dans *Communication, Intimacy and Close Relationship*, sous la direction de V.J. Derlaga, Orlando (FL), Academic Press.

HEDGCOCK, R. (2002). « Confessions of a borderline Aspie », Victoria, Australia, Asperger Syndrome Support Network. Notes manuscrites.

HELLEMANS, H. et D. DEBOUTTE, (2002). « Autism spectrum disorders and sexuality ». Conférence donnée dans le cadre du *Melbourne World Autism Congress.*

HELLEMANS, H. (1996). « L'éducation sexuelle des adolescents autistes », Article présenté dans le cadre de la *Project Caroline Conference,* Bruxelles.

HÉNAULT, I. (2004). « Sexual relationships », dans *Asperger's Syndrome : Intervening in Schools, Clinics and Communities*, sous la direction de L.J. Baker et L.Welkowitz, New Jersey, Lawrence Erlbaum Associates.

HÉNAULT, I. (2003). « The sexuality of adolescents with Asperger syndrome », dans *Asperger Syndrome in Adolescence*, sous la direction de L. Holliday Willey, Londres, Jessica Kingsley Publishers.

HÉNAULT, I., J. FORGET et N. GIROUX (2003). « Le développement d'habiletés sexuelles adaptatives chez des individus atteints d'autisme de haut niveau ou du syndrome d'Asperger », Thèse présentée comme exigence partielle du doctorat en psychologie, Université du Québec à Montréal.

HÉNAULT, I. et T. ATTWOOD (2002). *The Sexual Profile of Adults with Asperger Syndrome : The Need for Comprehension, Support and Education,* Melbourne, World Inaugural Autism Congress Publications.

HÉNAULT, I. (février 2000). « Plaidoyer pour l'ambiguïté sexuelle », *Guide ressources.*

HESS, U. (1998). « L'intelligence émotionnelle », Notes de cours (PSY 4080), Montréal, Université du Québec à Montréal.

HINGSBURGER, D. (1995a). *Just Say Know ! Understanding and Reducing the Risk of Sexual Victimization of People with Developmental Disabilities,* Newmarket, Diverse City Press, *www.diverse-city.com.*

HINGSBURGER, D. (1995b). *Hand Made Love : A Guide for Teaching About Male Masturbation Through Understanding and Video,* Newmarket, Diverse City Press, *www.diverse-city.com.*

HINGSBURGER, D. (1993). *I Openers : Parents Ask Questions About Sexuality and Children with Developmental Disabilities,* Vancouver, Family Support Institute Press.

HINGSBURGER, D. et S. HAAR (2000). *Finger Tips : Teaching Women with Disabilities about Masturbation Through Understanding and Video,* Newmarket, Diverse City Press, *www.diverse-city.com.*

HINGSBURGER, D. (1996). *Under Cover Dick : Teaching Men with Disabilities about Condom Use Through Understanding and Video,* Newmarket, Diverse City Press, *www.diverse-city.com.*

HOLLIDAY WILLEY, L. (2001). *Asperger Syndrome in the Family : Redefining Normal,* Londres, Jessica Kingsley Publishers.

HOLLIDAY WILLEY, L. (1999). *Pretending to be Normal: Living with Asperger's Syndrome*, Londres, Jessica Kingsley Publishers.

HOWES, N. (1982). *Fully Human: A Program in Human Sexuality for the Developmentally Disabled*, Cambridge, Sun-Rose Associates, Black and White.

HOWLIN, P., S. BARON-COHEN et J. HADWIN (1999). *Teaching Children with Autism to Mind-Read*, Londres, John Wiley.

ISRAEL, G.E. et D.E. TARVER (1997). *Transgender Care*, Philadelphie (PA), Temple University Press.

JACKSON, L. (2002). *Freaks, Geeks and Asperger Syndrome: A User Guide to Adolescence*, Londres, Jessica Kingsley Publishers.

JACOBSON, N.S. et A.S. GURMAN (1995). *Clinical Handbook of Couple Therapy*, New York, The Guilford Press.

KAESER, F. et J. O'NEILL (1987). « Task analysed masturbation instruction for a profoundly mentally retarded adult male: A data based case study », *Sexuality and Disability*, vol. 8, p. 17-24.

KANNER, L. (1943). « Autistic disturbances of affective contact », *Nervous Child*, vol. 2, p. 217-250.

KEATING, K. (1994). *Le petit livre des gros câlins*, Paris, Seuil.

KEATING, K. (1983). *The Hug Therapy Book*, Minneapolis (MN), CompCare Publishers.

KEESLING, B. (1993). *Sexual Pleasure: Reaching New Heights of Sexual Arousal and Intimacy*, Alameda, Hunter House Inc.

KEMPTON, W. (1999). *Life Horizons I and II*, Santa Barbara (CA), James Stanfield Company.

KEMPTON, W. (1993). *Socialization and Sexuality: A Comprehensive Guide*, Santa Barbara (CA), James Stanfield Company.

KLIN, A., F.R. VOLKMAR et S.S. SPARROW (2000). *Asperger Syndrome*, New York, The Guilford Press.

KOHN, Y., T. FAHUM et G. RATZONI (1998). « Aggression and sexual offense in Asperger's syndrome », *Israel Journal of Psychiatry and Related Science*, vol. 35, n° 4, p. 293-299.

KONSTANTAREAS, M.M. et Y.J. LUNSKY (1997). « Sociosexual knowledge, experience, attitudes, and interests of individuals with autistic disorder and developmental delay », *Journal of Autism and Developmental Disorders*, vol. 27, p. 113-125.

L'ABATE, L. et S. SLOAN (1984). « A workshop format to facilitate intimacy in married couples », *Family Relations,* vol. 33, p. 245-250.

LANDEN, M. et P. RASMUSSEN (1997). « Gender identity disorder in a girl with autism : A case report », *European Child and Adolescent Psychiatry,* vol. 6, p. 170-173.

LAXER, G. et P. TRÉHIN (2001). *Les troubles du comportement associés à l'autisme et aux autres handicaps mentaux,* Mougins, AFD.

LAZARUS, A. (1976). *Multimodal Behavior Therapy,* New York, Springer.

LEMAY, M. (1996). *La SexoTrousse,* Maniwaki, Pavillon du Parc.

LIEBERMAN, A. et M.B. MELONE (1979). *Sexuality and Social Awareness,* Connecticut (CT), Benhaven Press.

LUISELLI, J.K. et collab. (1977). « The elimination of a child's in-class masturbation by overcorrection and reinforcement », *Journal of Behavioral Therapy and Experimental Psychiatry,* vol. 8, p. 201-204.

MARGOLIN, G. (1982). « A social learning approach to intimacy », dans *Intimacy,* sous la direction de M. Fisher et G. Stricker, New York, Plenum.

MARSHBURN, E.C. et M.G. AMAN (1992). « Factor validity and norms for the Aberrant Behavior Checklist in a community sample of children with mental retardation », *Journal of Autism and Developmental Disorders,* vol. 22, p. 357-373.

MASTERS, W.H. et V.E. JOHNSON (1970). *Human Sexual Inadequacy,* Boston (MA), Little and Brown Compagny.

MASTERS, W.H. et V.E. JOHNSON (1968). *Les réactions sexuelles,* Paris, Robert Laffont.

MAWSON, D., A. GROUNDS et D. TANTAM (1985). « Violence and Asperger's syndrome : A case study », *British Journal of Psychiatry,* vol.147, p. 566-569.

MAYES, S.D., S.L. CALHOUN et D.L. CRITES (2001). « Does DSM-IV Asperger's disorder exist ? », *Journal of Abnormal Child Psychology,* vol. 29, nº 3, p. 263-271.

MCADAMS, D.P. (1988). « Personal needs and personal relationships », dans *Handbook of Personal Relationships : Theory, Research, and Intervention,* sous la direction de S.W. Duck, New York, John Wiley and Sons.

MCCARTHY, M. et B. PHIL (1996). « The sexual support needs of people with learning disabilities : A profile of those referred for sex education », *Sexuality and Disability,* vol. 14, p. 265-279.

McCARTHY, M. (1993). « Sexual experiences of women with learning difficulties in long-stay hospitals », *Sexuality and Disability,* vol. 2, nº 4, p. 277.

McKEE, L. et V. BLACKLIDGE (1986). *An Easy Guide for Caring Parents: Sexuality and Socialization,* California, Planned Parenthood.

MELONE, M.B. et A.L. LETTICK (1979). *Sex Education at Benhaven: Benhaven Then and Now,* Connecticut (CT), The Benhaven Press.

MINISTÈRE DE LA SANTÉ ET DES SERVICES SOCIAUX, CENTRE DE COORDINATION SUR LE SIDA DU QUÉBEC (1999). « La prévention du SIDA et des autres MTS dans une perspective d'éducation auprès des élèves présentant une déficience intellectuelle », *www.msss.gouv.qc.ca.*

MOEBIUS, M. (1998). « Gender identity disorder and psychosexual problems in children and adults: Book reviews », *Journal of the American Academy of Child and Adolescent Psychiatry,* mars.

MUKADDES, N.M. (2002). « Gender identity problems in autistic children », *Child: Care Health and Development,* vol. 28, p. 529-532.

MURPHY, D.E. (2001). « Crimes or an affliction: A fixation with trains », *The New York Times,* mars, *www.nytimes.com.*

MUSKAT, B. (2003). « Nonverbal learning disabilities and Asperger Syndrome: Enhancing socialization and emotional well-being », *The Second National Conference on Asperger's Syndrome,* Toronto, Aspergers Society of Ontario.

NATIONAL INFORMATION CENTER FOR CHILDREN AND YOUTH WITH DISABILITIES (1992). « Sexuality education for children and youth with disabilities », *NICHCY News Digest,* vol. 17, p. 1-37.

NEWPORT, J. et M. NEWPORT (2002). *Autism – Asperger's and Sexuality: Puberty and Beyond,* Arlington (TX), Future Horizons Inc.

ORGANISATION MONDIALE DE LA SANTÉ (OMS) (1993). *Classification Internationale des Maladies,* 10e révision (ICD-10), Genève, OMS.

OUELLET, R., M. BANDEIRA et Y. L'ABBÉ (1987). « L'entraînement aux habiletés sociales et la généralisation », *Revue de Modification du Comportement,* vol. 17, p. 76-94.

OUELLET, R. et Y. L'ABBÉ (1986). *Programme d'entraînement aux habiletés sociales,* Eastman, Éditions Behaviora.

OUSLEY, O.Y. et G.B. MESIBOV (1991). « Sexual attitudes and knowledge of high-functioning adolescents and adults with autism », *Journal of Autism and Developmental Disorders,* vol. 21, p. 471-481.

OZONOFF, S. et J.N. MILLER (2000). «The external validity of Asperger Disorder: Lack of evidence from the domain of neuropsychology», *Journal of Abnormal Psychology*, vol. 109, nº 2, p. 227-238.

PARADIS, A.F. et J. LAFOND (1990). *La réponse sexuelle et ses perturbations*, Boucherville, Les Éditions G. Vermette.

POIRIER, N. (1998). «La théorie de l'esprit de l'enfant autiste», *Santé Mentale au Québec*, vol. 23, nº 1, p. 115-129.

POIRIER, N. et J. FORGET (1998). «Les critères diagnostiques de l'autisme et du syndrome d'Asperger: similitudes et différences», *Santé Mentale au Québec*, vol. 23, nº 1, p. 130-148.

PROJET TRIP (1997). *Silence on s'ex...prime*, [document vidéo en trois volets], Hôpital Rivière-des-Prairies, CECOM.

QUÉBEC. SANTÉ QUÉBEC (1991). *Enquête sociale et de santé auprès des enfants et adolescents québécois*, ministère de la Santé et des Services sociaux du Québec.

ROBISON, P.C., F. CONAHAN et W. BRADY (1992). «Reducing self-injurious masturbation using a least intrusive model and adaptative equipment», *Sexuality and Disability*, vol. 10, nº 1, p.43-55.

RODMAN, K.E. (2003). *Asperger Syndrome and Adults... Is Anyone Listening? Essays and Poems by Spouses, Partner and Parents of Adults With Asperger Syndrome*, Londres, Jessica Kingsley Publishers.

ROSENBERG, M. (mai 2002). «Children with gender identity issues and their parents in individual and group treatment: Clinical perspectives», *Journal of the American Academy of Child and Adolescent Psychiatry*.

ROY, J. (1996). «Comparaison entre les attitudes des intervenants travaillant auprès d'adolescents autistes et ceux travaillant auprès d'adolescents déficients intellectuellement à l'égard des comportements sexuels de ces jeunes», *Rapport d'activités de maîtrise en sexologie*, Département de sexologie, Université du Québec à Montréal.

RUBLE, L.A. et J. DALRYMPLE (1993). «Social/sexual awareness of persons with autism: A parental perspective», *Archives of Sexual Behavior*, vol. 22, p. 229-240.

SCHOPLER, E., G.B. MESIBOV et L.J. KUNCE (1998). *Asperger Syndrome or High-Functioning Autism?*, New York, Plenum Press.

SCRAGG, P. et A. SHAH (1994). «Prevalence of Asperger's Syndrome in a secure hospital», *British Journal of Psychiatry*, vol. 165, p. 679-82.

SEXUALITY INFORMATION AND EDUCATION COUNCIL OF THE US (1991). *Sexuality Education for People with Disabilities*, New York, Siecus.

SHARPER IMAGE DESIGN (1999). *Biotouch Interactive Mood Light*, Biofeedback, *www.sharperimage.com.*

SHEEHAN, S. (2002). « Consent for sexual relations », dans *Ethical Dilemmas : Sexuality and Developmental Disability*, sous la direction de D.M. Griffiths et collab., New York, NADD Press.

SLATER-WALKER, G. et C. SLATER-WALKER (2002). *An Asperger Marriage*, Londres, Jessica Kingsley Publishers.

SMITH MYLES, B., S. BOCK et R. SIMPSON (2000). *Asperger Syndrome Diagnostic Scale*, Austin (TX), Pro-Ed.

SMITH MYLES, B. et collab. (2000). *Asperger Syndrome and Sensory Issues*, Shawnee Mission (KS), AAPC.

SMITH MYLES, B. et J. SOUTHWICK (1999). *Aspergers Syndrome and Difficult Moments : Practical Solutions for Tantrums, Rage, and Meltdowns*, Shawnee Mission (KS), Autism Asperger Publishing Company.

SOFRONOFF, K. et T. ATTWOOD (2002). « A cognitive behaviour therapy intervention for anxiety in children with Asperger's Syndrome », *Good Autism Practice*, vol. 4, p. 228.

SOYNER, R. et A. DESNOYERS HURLEY (1990). « L'apprentissage des habiletés sociales », *Habilitative Mental Healthcare Newsletter*, vol. 9, n° 1, p. 1-5.

STANFORD, A. (2002). *Asperger Syndrome and Long-Term Relationships*, Londres, Jessica Kingsley Publishers.

STAVIS, P. et L.W. WALKER-HIRSCH (1999). « Consent to sexual activity », dans *A Guide to Consent*, sous la direction de R.D. Dinerstein, S.S. Herr et J.L. O'Sullivan, Washington (DC), American Association on Mental Retardation.

STODDART, K. (2003). « Young adults with AS : Benefiting from services and supports in the midst of transition », *The Second National Conference on Asperger's Syndrome*, Toronto, Aspergers Society of Ontario.

STONEHOUSE, M. (2004). *Stilted Rainbow – A Summary, Book of First Hand Account*, Toronto, The Autism Group, The Autism Society of Ontario.

STONEHOUSE, M. (2003). *Gender Identity Conflicts on the Autistic Spectrum and the Possible Co-Morbidity Between Them*, Toronto, Canadian-American Research Consortium on Autistic Spectrum Disorders.

STONEHOUSE, M. (2002). *Stilted Rainbow: The Story of My Life on the Autistic Spectrum and a Gender Identity Conflict*, Toronto, Martine Stonehouse.

SWISHER, S. (1995). « Therapeutic interventions recommended for treatment of sexual addiction-compulsivity », *Sexual Addiction and Compulsivity*, vol. 2, n° 1, p. 31-39.

SZATMARI, P., R. BREMNER et J.N. NAGY (1989). « Asperger's syndrome: A review of clinical features », *Canadian Journal of Psychiatry*, vol. 34, n° 6, p. 554-560.

TEAM ASPERGER (2000). *Gaining Face*, Wisconsin (WN), Team Asperger.

TIMMERS, R.L., P. DUCHARME et G. JACOB (1981). « Sexual knowledge, attitudes and behaviors of developmentally disabled adults living in a normalized apartment setting », *Sexuality and Disability*, vol. 4, p. 27-39.

TORISKY, D. et C. TORISKY (1985). « Sex education and sexual awareness building for autistic children and youth: Some viewpoints and consideration », *Journal of Autism and Developmental Disorders*, vol. 15, p. 213-227.

TRÉHIN, C. (1999). *Les autistes de haut niveau et ceux atteints d'un syndrome d'Asperger*, Le Cannet, EDI Formation.

TREMBLAY, G., J. DESJARDINS et J.P. GAGNON (1993). *Programme de développement psychosexuel*, Eastman, Éditions Behaviora.

TREMBLAY, R. et collab. (2001). *Guide d'éducation sexuelle à l'usage des professionnels*, 2e t., Éditions Eres.

TREMBLAY, R. et collab. (1998). *Guide d'éducation sexuelle à l'usage des professionnels*, 1er t., Éditions Eres.

UNIVERSITÉ DU QUÉBEC À MONTRÉAL (UQÀM), DÉPARTEMENT DE SEXOLOGIE (1996). *Lexique des termes sexologiques*, Montréal.

UNIVERSITY OF IOWA (2003). *Virtual Hospital*, Department of Psychiatry, *www.vh.org*.

VAN BOURGONDIEN, M., N.C. REICHLE et A. PALMER (1997). « Sexual behavior in adults with autism », *Journal of Autism and Developmental Disorders*, vol. 27, n° 2, p. 113-125.

WALKER-HIRSCH, L. et M.P. CHAMPAGNE (1986). *Circles I, II and III*, Santa Barbara (CA), James Stanfield Company.

WARING et collab. (1980). « Concept of intimacy in the general population », *Journal of Nervous and Mental Disease*, vol. 168, p. 471-474.

WEISS, R.S. (1973). *Loneliness: The Experience of Emotional and Social Isolation*, Cambridge (MA), MIT Press.

WING, L. (1991). «The relationship between Asperger's Syndrome and Kanner's autism», dans *Autism and Asperger Syndrome*, sous la direction de U. Frith, New York, Cambridge University Press.

WING, L. (1981). «Asperger's Syndrome: A clinical account», *Psychological Medicine*, vol. 11, p. 115-130.

YOUNG, E. (mars 2001). «A look at theory of mind», *The New Scientist*, vol. 29.

Vidéocassettes

HINGSBURGER, D. et S. HAAR (2000). *Finger Tips: Teaching Women with Disabilities about Masturbation Through Understanding and Video*, Newmarket, Diverse City Press, www.diverse-city.com.

HINGSBURGER, D. (1996). *Under Cover Dick: Teaching Men with Disabilities about Condom use through Understanding and Video*, Newmarket, Diverse City Press, www.diverse-city.com.

HINGSBURGER, D. (1995a). *Just Say Know! Understanding and Reducing the Risk of Sexual Victimization of People with Developmental Disabilities*, Newmarket, Diverse City Press, www.diverse-city.com.

HINGSBURGER, D. (1995b). *Hand Made Love: A Guide for Teaching About Male Masturbation Through Understanding and Video*, Newmarket, Diverse City Press, www.diverse-city.com.

HINGSBURGER, D. (1993). *I Openers: Parents Ask Questions About Sexuality and Children with Developmental Disabilities*, Vancouver: Family Support Institute Press.

MARTIN, R. (1993). *Attention, ça peut arriver à tout le monde*, CECOM, Hôpital Rivière-des-Prairies, www.hrdp.qc.ca.

PROJET TRIP (1997). *Silence on s'ex...prime!* [document vidéo en trois volets], CECOM, Hôpital Rivière-des-Prairies, www.hrdp.qc.ca.

Silence on s'ex...prime! est un document vidéo qui explore des thèmes particuliers à la sexualité des adolescents. Dans la peau de personnages inspirés de leur entourage, des jeunes témoignent de la réalité sexuelle des adolescents d'aujourd'hui; ils nous parlent de leurs préoccupations, des choix qui s'offrent à eux et des contraintes avec lesquelles ils doivent composer au quotidien. Au fil des capsules colorées et diversifiées où alternent témoignages et discussions, ces jeunes posent les vraies questions, sans chercher à imposer

« une seule bonne réponse ». Volet 1 : la première relation sexuelle et la masturbation ; volet 2 : l'abus sexuel et les MTS ; volet 3 : les machos, devenir enceinte et l'homosexualité.

Ressources Internet

FAAAS Organization (couples et familles Asperger) : www.faaas.org

Fédération québécoise de l'autisme et des troubles envahissants du développement : www.autisme.qc.ca

National Autistic Society : www.nas.org.uk/ (Hayes Independent Hospital à hayes@nas.org.uk)

Syndrome de la vestibulite vulvaire : www.vulvarhealth.org, www.nva.org

Les jeunes et l'alcool

Québec. Ministère de la Santé et des Services sociaux : www.msss.gouv.qc.ca/

Médicaments

Virtual Hospital : www.vh.org

Outils et Programmes

Biofeedback GSR Biotouch Moodlight [appareil de rétrocaction corporelle] : www.sharperimage.com

Gaining Face [logiciel sur les émotions] : www.ccoder.com/GainingFace

Simon Baron-Cohen et collab. (2004). *Mind-Reading Software* [logiciel sur les émotions] : www.human-emotions.com

Programme Vague par Vague [relations interpersonnelles et violence] : www.mwaves.org

Sexualité

Neurodiversity [autisme et sexualité] : www.neurodiversity.com

Calgary Birth Control Association : www.cbca.ab.ca

Family Planning Queensland : www.fpq.com.au

National Dissemination Center for Children with Disabilities (É-U) : www.nichcy.org

HARACOPOS, D. ET L. PEDERSEN (1992). *Sexuality and Autism, Danish Report,* réf. du 19 juin 2005 : www.autismuk.com/index9sub.htm

Compléments : le syndrome d'Asperger sur Internet

« Le syndrome d'Asperger lié à des anomalies du lobe préfrontal » et « Syndrome d'Asperger et autisme de haut niveau », réf. du 18 juin 2005 : *Evopsy.org*, www.evopsy.org

Dossier

Le point sur l'autisme dans *Cerveau & Psycho*, n° 4, déc. 2003 - fév. 2004, réf. du 19 juin 2005, *www.cerveauetpsycho.com.*

- AUSSILLOUX, Charles et Amaria BAGHDADLI. « Prise en charge et évolution » (diverses méthodes de prise en charge sont combinées) ;
- BURSZTEJN, Claude. « Vers un dépistage précoce de l'autisme » (la prise en charge précoce de l'autisme est un enjeu majeur) ;
- GEORGIEFF, Nicolas. « L'autisme aujourd'hui » ;
- MOTTRON, Laurent. « Une perception particulière » (la perception visuelle et auditive est parfois très supérieure à la normale) ;
- NADEL, Jacqueline. « Imitation et autisme » (l'imitation servirait à améliorer les interactions sociales) ;
- JAMIN, Stéphane, Thomas BOURGERON et Marion LEBOYER. « Les bases génétiques de l'autisme » (la prédisposition génétique de l'autisme est avérée) ;
- ZILBOVICIUS, Monica. « Imagerie cérébrale et autisme infantile » (certaines zones du cerveau sont anormales).

Liens externes francophones

SATEDI. Information, activités, liste de diffusion sur l'autisme de haut niveau et le syndrome d'Asperger, www.satedi.org

ASPERWEB. Le site francophone complet (voir notamment : « Critères de découverte des "Aspies" », par Carol Gray et Tony Attwood), réf. du 19 juin 2005, perso.wanadoo.fr/asperweb/

ASPERGER AIDE (association d'aide). Voir notamment : « Ce que j'ai appris sur la vie avec le syndrome d'Asperger et ce qui m'échappe encore », par Lars Perner, traduit de l'anglais par Claudine Henry Asperger, www.aspergeraide.com